COLEÇÃO · CLÁSSICOS DE OURO ·

Dino Buzzati
O DESERTO DOS TÁRTAROS

TRADUÇÃO *Aurora Fornoni Bernardini*
Homero Freitas de Andrade
PREFÁCIO *Ugo Giorgetti*

8ª EDIÇÃO

EDITORA
NOVA
FRONTEIRA

Título original: *Il deserto dei tartari*
© copyright by Dino Buzzati. Todos os direitos reservados.
Publicado na Itália, por Arnoldo Mondadori Editori, Milão.

Direitos de edição da obra em língua portuguesa no Brasil adquiridos pela EDITORA NOVA FRONTEIRA PARTICIPAÇÕES S.A. Todos os direitos reservados. Nenhuma parte desta obra pode ser apropriada e estocada em sistema de banco de dados ou processo similar, em qualquer forma ou meio, seja eletrônico, de fotocópia, gravação etc., sem a permissão do detentor do copirraite.

EDITORA NOVA FRONTEIRA PARTICIPAÇÕES S.A.
A. Rio Branco, 115 – salas 1201 a 1205 – Centro
20040-004 – Rio de Janeiro – RJ – Brasil
Tel.: (21) 3882-8200

Imagem de capa: Giovanni Fattori, "In vedetta".
Óleo sobre tela, 1872. Coleção Marzotto, Valdagno, Itália.

CIP-Brasil. Catalogação na fonte
Sindicato Nacional dos Editores de Livros, RJ

B995d   Buzzati, Dino, 1906-1972
         O deserto dos tártaros / Dino Buzzati ; apresentação Ugo Giorgetti ; tradução Aurora Fornoni Bernardini e Homero Freitas de Andrade. - 8. ed. - Rio de Janeiro : Nova Fronteira, 2020.

(Clássicos de ouro)

Tradução de: Il deserto dei tartari

ISBN 9786556401287

1. Romance italiano. I. Bernardini, Aurora Fornoni, 1941-. II. Andrade, Homero Freitas de. III. Título. IV. Série.

CDD: 853
CDU: 821.131.3-3

Apresentação

Diferentes como são, cinema e literatura frequentemente se encontram. Quando o cinema de algum país produz obras importantes, é mais que provável que na base, nos alicerces, esteja uma literatura igualmente notável. No caso da Itália, junto com Visconti pode estar Lampedusa; com Liliana Cavani, Curzio Malaparte; com Francesco Rosi, um Primo Levi; com Valerio Zurlini, Vasco Pratolini.

Sempre me interessei de uma forma geral pela literatura italiana do século XX. Confesso, porém, que me aproximei mais, de uma forma mais atenta, impelido pelo cinema.

Não sou nenhum especialista nem acadêmico. Apenas um leitor atento. Não mais que isso. E é nessa qualidade que ouso falar de um dos maiores escritores italianos: Dino Buzzati, autor de *O deserto dos tártaros*.

Dino Buzzati era um italiano de Belluno. O que quer dizer que estava longe da Itália barulhenta, ensolarada e alegre difundida pelo turismo e pelas comédias descartáveis. Belluno é quase Áustria, cheia de névoa e frio, o que explica um pouco a atmosfera rarefeita de *O deserto dos tártaros*. Viveu sempre em Milão, trabalhando no *Corriere della Sera*, jornal que nunca deixou, mesmo quando já era um escritor consagrado.

Em 1940 foi publicado pela primeira vez *O deserto dos tártaros*. O livro foi imediatamente reconhecido como algo novo e importante, mas teve que esperar alguns anos até ser distribuído nas famosas edições de *poche*, quando deixou de ser apenas um belíssimo livro italiano para se transformar, pela força da difusão cultural francesa, num clássico europeu.

O que nos conta *O deserto dos tártaros*? Um jovem militar é designado para servir numa fortaleza nas montanhas, solitária, quase esquecida, que em tempos remotos foi importante defesa contra os tártaros, que costumavam chegar pelo deserto que se estendia ao longo do vale. Nesse lugar isolado, fincado entre altas escarpas, a função de todos era estar preparados para o dia em que os tártaros voltassem. O jovem militar, de cima das muralhas, examina o deserto imaginando e ansiando pelo dia da batalha, o grande dia em que um fato notável justificará sua vida. Seus olhos se cansam de vasculhar o horizonte. Os tártaros não vêm. O cotidiano transcorre medíocre, o tempo vai passando, mas o soldado não consegue abandonar o forte e mudar sua vida. Continua olhando obstinada e disciplinadamente o deserto, sob o céu silencioso.

Romance alegórico? Romance de humor negro? Romance surrealista? Romance da vida militar?

São várias as possibilidades. O próprio Buzzati fornece a pista: "De 1933 a 1939 trabalhei no *Corriere della Sera* no período noturno. Era um trabalho monótono e aborrecido, e os meses passavam, e passavam os anos, e eu me perguntava se seria sempre assim, se as esperanças, os sonhos, inevitáveis quando se é jovem, iriam se atrofiar pouco a pouco, se a grande ocasião viria ou não."

É isso. Não é sobre a vida militar que fala o livro, mas sobre a vida de todos nós.

Fala da vida como uma aposta na imobilidade. Se não fizermos nada além de aceitar as coisas como são, um dia algo virá para redimir nosso pobre cotidiano, algo notável e brilhante que a vida nos reserva mais para a frente.

Embora escrito oitenta anos atrás, o livro parece endereçar-se diretamente ao século XXI e nos atinge profundamente. Ou não é exatamente isso que diz a publicidade, a televisão, enfim, o pensamento médio reinante: seja disciplinado e trabalhador. Não mude sua vida. Trabalhe infatigavelmente que um dia algo maravilhoso vai lhe acontecer. Algo glorioso, que vai justificar sua existência, não uma batalha, claro, mas talvez uma linda mulher inatingível, uma esperada promoção, uma casa cercada de árvores, ou muito dinheiro. Só que isso sempre virá mais adiante. Cada vez mais adiante. Até que um dia nos damos conta de que fizemos a aposta errada.

Os tártaros não vieram.

Mas alguma coisa no fim da linha vem. Ela nos espera e, finalmente, para todos nós, chega o dia, a hora, o momento do acontecimento extraordinário. Não era exatamente o que estivemos ansiando, e só nos resta aceitá-lo com dignidade e estoicismo, como um soldado. Será que a última chance de uma vida equivocada é uma morte digna? Será o que resta? A única saída?

Para terminar falando de cinema, este livro admirável, que fascinou Michelangelo Antonioni, acabou realizado por Valerio Zurlini. Apesar do grande talento desse diretor, quando vi o filme fiquei um pouco decepcionado. É que, infelizmente para ele, eu já tinha lido o livro.

Ugo Giorgetti[1]

---

[1] Roteirista e diretor de cinema brasileiro.

I

Nomeado oficial, Giovanni Drogo deixou a cidade numa manhã de setembro para alcançar o forte Bastiani, seu primeiro destino.

Pediu que o acordassem ainda de noite e vestiu pela primeira vez o uniforme de tenente. Quando terminou, olhou-se no espelho, à luz de um lampião de querosene, mas sem sentir a alegria que imaginava. Na casa reinava um grande silêncio, ouviam-se apenas vagos rumores vindos do quarto vizinho; sua mãe estava se levantando para despedir-se dele.

Era aquele o dia esperado havia anos, o começo de sua verdadeira vida. Pensava nos míseros dias na academia militar, lembrou-se das amargas tardes de estudo quando ouvia lá fora, nas ruas, passarem pessoas livres e presumivelmente felizes; dos serões de inverno nos dormitórios gelados, onde pairava estagnado o pesadelo das punições. Lembrou-se do sofrimento de contar os dias um por um, que pareciam não acabar nunca.

Agora finalmente era oficial, não tinha mais de consumir-se sobre os livros nem de estremecer à voz do sargento, tudo isso também já havia passado. Todos aqueles dias, que então lhe pareceram odiosos, haviam se consumado para sempre, formando meses e anos que nunca mais se repetiriam. Sim, agora ele era oficial, teria dinheiro, belas mulheres, quem sabe, olhariam para ele, mas no fundo — percebeu Giovanni Drogo — o tempo melhor, a primeira juventude, provavelmente acabara. Assim Drogo fitava o espelho, via um débil sorriso no próprio rosto, de que em vão tentava gostar.

Que coisa sem sentido: por que não conseguia sorrir com a necessária despreocupação enquanto se despedia da mãe? Por que nem mesmo prestava atenção às suas últimas recomendações e mal conseguia perceber o som daquela voz, tão familiar e humana? Por que vagava pelo quarto com um nervosismo que não levava a nada, sem conseguir achar o relógio, o chicote, o quepe, que, no entanto, se encontravam no lugar de sempre? Não estava certamente indo para a guerra! Dezenas de tenentes como ele, seus velhos companheiros, deixavam àquela mesma hora a casa paterna entre alegres risadas, como se estivessem indo a uma festa. Por que não lhe saíam da boca senão frases genéricas, vazias de sentido, dirigidas à mãe, em vez de palavras afetuosas e tranquilizadoras? A amargura de deixar pela primeira vez a velha casa, onde nascera para a esperança, os temores que traz consigo qualquer mudança, a comoção de despedir-se da mãe enchiam-lhe a alma, mas sobre tudo isso pesava um insistente pensamento, que não conseguia identificar, como um vago pressentimento de coisas fatais, como se estivesse para iniciar uma viagem sem retorno.

O amigo Francesco Vescovi acompanhou-o a cavalo pelo primeiro trecho da estrada. O tropel dos animais ressoava nas ruas desertas. Alvorecia, a cidade ainda estava imersa no sono; aqui e ali, nos últimos andares, algumas persianas se abriam, apareciam rostos cansados, olhos apáticos fitavam por um instante o nascimento maravilhoso do sol.

Os dois amigos não conversavam. Drogo pensava em como podia ser o forte Bastiani, mas não conseguia imaginá-lo. Não sabia sequer onde ficava exatamente nem quanto do caminho devia percorrer. Uns haviam-lhe dito um dia a cavalo, outros menos, nenhum daqueles a quem perguntara estivera lá realmente.

Às portas da cidade, Vescovi pôs-se a falar com vivacidade das coisas de sempre, como se Drogo estivesse saindo para passear. Depois, a uma certa altura:

— Está vendo aquele morro coberto de relva? Sim, aquele mesmo. Está vendo em cima uma construção? — dizia. — Já é um pedaço do forte, um reduto avançado. Passei por ali há dois anos, lembro-me, com um tio meu, para ir caçar.

Já haviam saído da cidade. Começavam os campos de milho, os prados, os vermelhos bosques outonais. Pela estrada branca, batida de sol, avançavam os dois, lado a lado. Giovanni e Francesco eram amigos, tinham vivido juntos por longos anos, com as mesmas paixões, as mesmas amizades; tinham-se visto sempre, todos os dias, depois Vescovi enriquecera e Drogo tornara-se oficial, e agora este sentia o quanto o outro ficara distante. Aquela vida fácil e elegante já não lhe pertencia, coisas graves e desconhecidas esperavam por ele. Seu cavalo e o de Francesco — parecia-lhe — tinham já um passo diferente, um tropel, o seu, menos leve e vivo, com um fundo de ansiedade e de fadiga, como se também o animal sentisse que a vida estava para mudar.

Haviam chegado ao topo de uma subida. Drogo virou-se para trás a fim de olhar a cidade contra a luz; a fumaça matinal erguia-se dos telhados. Enxergou de longe a própria casa. Identificou a janela do seu quarto. Provavelmente as vidraças estavam abertas, e as mulheres, ocupadas, arrumando. Desmanchariam a cama, guardariam no armário os objetos, em seguida fechariam as persianas. Por meses e meses ninguém ali entraria, exceto a paciente poeira e, nos dias de sol, tênues réstias de luz. Eis, mergulhado no escuro, o pequeno mundo de sua meninice. A mãe o conservaria assim para que ele, ao voltar, ainda se reencontrasse; para que, lá dentro, pudesse continuar menino, mesmo após a longa ausência; ah, decerto ela guardava a ilusão de poder conservar intacta uma felicidade para sempre desaparecida, de impedir a fuga do tempo, e de que, ao reabrir as portas e janelas na volta do filho, as coisas viessem a ser como antes.

Aqui o amigo Vescovi despediu-se afetuosamente, e Drogo continuou sozinho pela estrada, aproximando-se das montanhas. O sol estava a pino quando ele chegou à embocadura do vale que conduzia ao forte. À direita, no topo de um morro, via-se o reduto que Vescovi lhe indicara. Não parecia haver ainda muito caminho a percorrer.

Ansioso por chegar, Drogo, sem se deter para comer, impulsionou o cavalo já cansado pela estrada acima, que se tornava íngreme e encastrada no meio de abruptas ribanceiras. Os encontros eram cada vez mais raros. A um carroceiro, Giovanni perguntou quanto tempo faltava para chegar ao forte.

— O forte? — respondeu o homem. — Que forte?

— O forte Bastiani — disse Drogo.

— Por estas bandas não existem fortes — disse o carroceiro. — Nunca ouvi falar.

Evidentemente estava mal-informado. Drogo retomou o caminho, sentindo uma sutil inquietude apoderar-se de si à medida que o sol avançava. Perscrutava os contornos altíssimos do vale para descobrir o forte. Imaginava uma espécie de antigo castelo com muralhas vertiginosas. Com o passar das horas, cada vez mais se convencia de que Francesco lhe dera uma informação errada; o reduto por ele indicado já devia ter ficado muito para trás. E aproximava-se a noite.

Lá se vão, Giovanni Drogo e seu cavalo, diminutos, no flanco das montanhas que se tornam cada vez maiores e mais selvagens. Ele continua subindo para chegar ao forte ainda durante o dia, porém mais rápidas que ele, do fundo, de onde rumoreja o riacho, mais rápidas que ele sobem as sombras. A um certo ponto elas estão justamente à altura de Drogo, na vertente oposta da garganta; parecem por um instante reduzir sua corrida, como que para não desencorajá-lo, depois deslizam por cima dos penhascos e dos rochedos, e o cavaleiro permanece embaixo.

O vale inteiro já estava atulhado de sombras violeta; somente as nuas cristas relvosas, numa altura incrível, continuavam iluminadas pelo sol quando Drogo viu de repente, diante de si, negra e gigantesca contra o puríssimo céu da tarde, uma construção militar que parecia antiga e deserta. Giovanni sentiu o coração bater, pois aquele devia ser o forte, mas tudo, das muralhas à paisagem, transpirava um ar inóspito e sinistro.

Deu uma volta ao redor sem encontrar a entrada. Embora já estivesse escuro, nenhuma janela estava acesa nem se percebiam luzes de guaritas no topo das muralhas. Havia apenas um morcego, que oscilava contra uma nuvem branca. Finalmente Drogo experimentou gritar: "Olá! Há alguém aí?"

Da sombra acumulada aos pés da muralha surgiu então um homem, uma espécie de vagabundo e mendigo, com uma barba grisalha e um pequeno saco na mão. Na penumbra, contudo, não se distinguia bem, somente o branco de seus olhos emitia reflexos. Drogo fitou-o, reconhecido.

— O que está procurando, senhor? — perguntou.

— Procuro o forte. É este?

— Não existe mais forte aqui — disse o desconhecido, com voz afável. — Está tudo fechado, já faz uns dez anos que não há ninguém.

— E onde fica o forte, então? — perguntou Drogo, repentinamente irritado com aquele homem.

— Que forte? Aquele, talvez? — E o desconhecido estendia um braço para indicar alguma coisa.

Numa fenda dos penhascos vizinhos, já encobertos pela escuridão, atrás de uma caótica escadaria de cristas, a uma distância incalculável, imerso ainda no sol vermelho do poente, como que saindo de um encantamento, Giovanni Drogo avistou um morro pelado em cujo topo se via um traçado regular e geométrico, de uma singular cor amarelada: o perfil do forte.

Ah, tão longe ainda! Quem sabe quantas horas de estrada, e seu cavalo já estava esfalfado. Drogo o fitava, fascinado, perguntava-se o que podia haver de desejável naquele casarão solitário, quase inacessível, tão separado do mundo. Que segredos ocultava? Mas eram os últimos instantes. Pois o derradeiro raio de sol destacava-se do longínquo morro, e acima dos torreões amarelos irrompiam as lívidas rajadas da noite nascente.

II

A escuridão alcançou-o ainda a caminho. O vale havia se estreitado, e o forte desaparecera atrás das montanhas sobrestantes. Não havia luzes, nem mesmo pios de pássaros noturnos, apenas, de quando em quando, chegava o som de águas distantes.

Experimentou chamar, mas os ecos rechaçavam sua voz com um timbre inimigo. Amarrou o cavalo num toco de árvore na beira da estrada, onde poderia encontrar capim. Sentou-se ali, de costas para a escarpa, esperou que o sono viesse e, enquanto isso, ficou pensando no caminho que faltava, na gente que encontraria no forte, na vida futura, sem reconhecer motivo algum de contentamento. O cavalo às vezes batia os cascos no chão de modo antipático e esquisito.

Ao amanhecer, quando retomou o caminho, reparou que, acima da vertente oposta do vale, à mesma altura, havia uma outra estrada, e em seguida avistou alguma coisa que se movia. O sol ainda não descera até lá embaixo, e as sombras atulhavam as reentrâncias, não deixando ver bem. Contudo, estugando o passo, Drogo conseguiu chegar à mesma altura e constatou que era um homem: um oficial a cavalo.

Finalmente, um homem como ele; uma criatura amiga, com quem poderia rir e brincar, falar da futura vida comum, de caçadas, de mulheres, da cidade. Da cidade que agora parecia a Drogo relegada a um mundo longínquo.

Estreitando-se o vale, as duas estradas se avizinharam, e Giovanni Drogo viu que o outro era um capitão. Não se atreveu a gritar no primeiro momento, pareceria inútil e desrespeitoso. Em vez disso, cumprimentou-o por diversas vezes, levando a mão direita ao quepe, mas o outro não respondia. Evidentemente não vira Drogo.

— Senhor capitão! — gritou Giovanni finalmente, tomado de impaciência. E cumprimentou mais uma vez.

— O que é? — respondeu uma voz do outro lado. O capitão, detendo-se, havia cumprimentado-o apropriadamente, e agora perguntava a Drogo a razão daquele grito. Não havia na pergunta nenhum traço de severidade; compreendia-se, porém, que o oficial ficara surpreso.

— O que é? — ecoou ainda a voz do capitão, dessa vez levemente irritada.

Giovanni parou, pôs as mãos em concha e respondeu a plenos pulmões:

— Nada! Queria cumprimentar o senhor!

Era uma explicação tola, quase ofensiva, pois permitia pensar numa brincadeira. Drogo arrependeu-se imediatamente. Em que encrenca ridícula ia se metendo, tudo porque não era capaz de bastar a si próprio.

— Quem é? — gritou em resposta o capitão.

Era a pergunta temida por Drogo. Aquela estranha conversa, de um lado ao outro do vale, assumia desse modo o tom de um interrogatório hierárquico. Desagradável início, pois era provável, se não certo, que o capitão fosse alguém do forte. De qualquer modo, era preciso responder.

— Tenente Drogo! — gritou Giovanni, apresentando-se.

O capitão não o conhecia, e não podia, com toda a probabilidade, captar o nome àquela distância, mas pareceu dar-se por satisfeito, uma vez que retomou o caminho, fazendo um sinal de entendimento, como a dizer que dentro em pouco se encontrariam. De fato, meia hora depois, num estreitamento da garganta, surgiu uma ponte. As duas estradas juntavam-se numa só.

Na ponte, os dois se encontraram. Sempre a cavalo, o capitão aproximou-se de Drogo e estendeu-lhe a mão. Era um homem de seus quarenta anos ou talvez mais, de rosto enxuto e aristocrático. Seu uniforme era maltalhado, mas perfeitamente em ordem.

— Capitão Ortiz — apresentou-se.

Ao apertar-lhe a mão, pareceu a Drogo estar entrando finalmente no mundo do forte. Aquele era o primeiro laço, e depois viriam muitos outros, de toda espécie, que o trancariam lá dentro.

O capitão logo retomou o caminho; Drogo seguiu a seu lado, um pouco atrás, por respeito hierárquico, esperando alguma desagradável repreensão pelo embaraçante colóquio de pouco antes. O capitão, ao contrário, permanecia calado, talvez não tivesse vontade de falar, talvez fosse tímido e não soubesse como começar. Sendo íngreme a estrada e quente o sol, os dois cavalos prosseguiam devagar.

— Não entendi bem o seu nome àquela distância, há pouco. Droso, não? — disse finalmente o capitão Ortiz.

— Drogo, com g. Drogo, Giovanni. O senhor, aliás, senhor capitão, queira me desculpar, se há pouco o chamei. Sabe — acrescentou, confundindo-se —, através do vale não tinha visto a patente.

— Realmente não dava para ver — concordou Ortiz, renunciando a desmenti-lo, e riu.

Cavalgaram um pouco assim, ambos um tanto embaraçados. Depois Ortiz disse:

— E então, para onde está indo?

— Para o forte Bastiani. Não é esta a estrada?

— É esta, sim.

Calaram-se, fazia calor, sempre montanhas por todos os lados, gigantescos montes relvados e selvagens.

— Então o senhor vai para o forte? Uma mensagem, talvez? — disse Ortiz.

— Não, senhor, vou para servir, fui designado.

— Designado para o quadro?

— Acho que sim, para o quadro, serviço de primeira nomeação.

— Para os quadros, então, certo... Muito bem, muito bem... se quiser, apresento-lhe minhas congratulações.

— Obrigado, senhor capitão.

Calaram-se e avançaram mais um pouco. Giovanni sentia muita sede, um cantil de madeira estava pendurado na sela do capitão e ouvia-se a água lá dentro fazendo choque-choque.

— Por dois anos? — perguntou Ortiz.

— Desculpe, senhor capitão, por dois anos?

— Por dois anos, digo, o senhor fará o turno habitual de dois anos, não é verdade?

— Dois anos? Não sei, não me disseram o período.

— Ah, claro, dois anos, todos vocês, tenentes de primeira nomeação, dois anos, depois vão embora.

— Pelo regulamento, dois anos para todos?

— Dois anos, claro, para a contagem de tempo valem quatro, é exatamente isso o que lhes interessa, senão ninguém pediria um serviço desses. Pois é, para se fazer carreira rapidamente, até ao forte nos adaptamos, não é mesmo?

Drogo nunca soubera disso, mas não quis fazer papel de bobo, esboçou uma frase genérica:

— É claro que muitos...

Ortiz não insistiu, o assunto parecia não lhe interessar. Mas agora que o gelo estava quebrado, Giovanni experimentou perguntar:

— Mas para todos, no forte, o tempo de serviço é contado em dobro?

— Para todos quem?

— Queria dizer, para os outros oficiais.
— Pois é: para todos! — caçoou Ortiz. — Imagine só! Para os subalternos apenas, entenda-se, senão quem pediria para vir para cá?
— Eu não fiz o pedido — disse Drogo.
— Não fez o pedido?
— Não, senhor, fiquei sabendo só dois dias atrás que fora designado para o forte.
— Bem, é estranho, realmente.
Calaram-se mais uma vez, cada um parecia pensar em coisas diferentes. Mas Ortiz disse:
— A menos que...
Giovanni reanimou-se.
— Sim, senhor capitão?
— Estava dizendo: a menos que não tenha havido nenhum outro pedido, e então a sua foi designação de gabinete.
— Pode ser que sim, senhor capitão.
— Pois é, deve ser assim, realmente.
Drogo olhava, sobre a poeira da estrada, a sombra nítida dos dois cavalos, as cabeças fazendo sim-sim a cada passo; ouvia o quádruplo patear, um ou outro zumbido de mosca e nada mais. Não se via o fim da estrada... De vez em quando, numa curva do vale, deparava-se, altíssimo, talhado em encostas escarpadas, o caminho que subia em zigue-zague. Chegava-se, olhava-se então para cima, e lá estava ainda à frente o caminho, cada vez mais alto.
— Por gentileza, senhor capitão... — disse Drogo.
— Diga...
— Está muito longe ainda?
— Não muito, talvez duas horas e meia, ou três, quem sabe, neste passo. Talvez pelo meio-dia estejamos lá, realmente.
Calaram-se por um trecho, os cavalos estavam suados; o do capitão, cansado, arrastava as patas.
— Vem da Academia Real, não é? — perguntou Ortiz.
— Sim, senhor, da Academia.
— Pois é, diga: o coronel Magnus ainda está lá?
— Coronel Magnus? Acho que não, não o conheço.
O vale agora se estreitava, fechando o acesso aos raios do sol. Profundas gargantas laterais abriam-se de vez em quando, dali desciam ventos gélidos, acima avistava-se montes íngremes em formato de cone;

dois, três dias, podia-se dizer, não bastariam para atingir o cume, tão altos pareciam.

— Diga-me, tenente, o major Bosco ainda está lá? Dá aulas de tiro ainda? — disse Ortiz.

— Não, senhor, acho que não, há Zimmermann, o major Zimmermann.

— Pois é, Zimmermann, realmente, ouvi falar dele. A questão é que se passaram muitos anos, dos meus tempos até hoje... já devem ter mudado todos.

Ambos agora tinham algo em que pensar. A estrada saíra novamente para o sol, montanhas sucediam montanhas, agora mais íngremes e com alguns paredões de rocha.

— Eu o vi ontem à tarde, ao longe — disse Drogo.

— O quê, o forte?

— Sim, o forte. — Fez uma pausa e depois, para mostrar-se gentil: — Deve ser grandioso, não é? Pareceu-me imenso.

— Grandioso, o forte? Não, não, é um dos menores, uma construção muito velha, só de longe é que causa um certo efeito.

Calou-se um instante, e acrescentou:

— Muito velha, completamente superada.

— Mas é um dos principais, não é?

— Não, não, é um forte de segunda categoria — respondeu Ortiz. Parecia sentir prazer em falar mal, mas num tom especial; assim como alguém que se diverte ao notar os defeitos do filho, certo de que serão sempre coisa ridícula diante de seus méritos desmesurados.

— É um trecho de fronteira morta — acrescentou Ortiz. — De modo que nunca o mudaram, permanece como há um século.

— Como fronteira morta?

— Uma fronteira que não dá problemas. Adiante existe um grande deserto.

— Um deserto?

— Um deserto realmente, pedras e terra seca, é chamado de deserto dos tártaros.

Drogo perguntou:

— Por que dos tártaros? Havia tártaros ali?

— Antigamente, acho. Porém, mais que tudo, é uma lenda. Ninguém deve ter passado por lá, nem mesmo nas guerras passadas.

— Então o forte nunca serviu para nada?

— Para nada — disse o capitão.

Elevando-se cada vez mais a estrada, as árvores haviam terminado, somente raras moitas restavam aqui e ali; de resto, prados crestados, pedras, desmoronamentos de terra roxa.

— Por gentileza, senhor capitão, há povoados vizinhos?

— Bem, vizinhos, não. Há San Rocco, mas fica a uns trinta quilômetros.

— Pouco com que se divertir então, imagino.

— Pouco com que se divertir; pouco, realmente.

O ar tornara-se mais fresco, os flancos das montanhas arredondavam-se, prenunciando as cristas finais.

— E não se fica entediado, senhor capitão? — perguntou Giovanni, com um tom confidencial, rindo, como a dizer que ele não ligaria para isso.

— A gente se habitua — respondeu Ortiz, e acrescentou, com uma repreensão subentendida: — Estou lá há quase 18 anos. Pensando melhor, 18 anos completos.

— Dezoito anos? — disse Giovanni, impressionado.

— Dezoito — respondeu o capitão.

Uma revoada de corvos passou rente aos dois oficiais e abismou-se no funil do vale.

— Corvos — disse o capitão.

Giovanni não respondeu, estava pensando na vida que o aguardava, sentia-se estranho àquele mundo, àquela solidão, àquelas montanhas. Perguntou:

— Mas, dos oficiais que lá vão servir em primeira nomeação, há algum que depois continue?

— Poucos, atualmente — respondeu Ortiz, como que arrependido de ter falado mal do forte, percebendo que o outro exagerava. — Quase nenhum, aliás. Agora todos querem um serviço de guarnição brilhante. Antigamente o forte Bastiani era uma honra, agora parece quase uma punição.

Giovanni calou-se, mas o outro insistia:

— Apesar de tudo, é uma guarnição de fronteira. No geral há elementos de primeira ordem. Um posto de fronteira é sempre um posto de fronteira, realmente.

Drogo continuava calado, com o coração repentinamente oprimido. O horizonte alargara-se, no fundo apareciam curiosos perfis de montanhas rochosas, despenhadeiros pontiagudos que se encavalavam no céu.

— Agora, até no exército as concepções mudaram — continuava Ortiz. — Antigamente o forte Bastiani era uma grande honra. Agora dizem que é uma fronteira morta, não pensam que uma fronteira é sempre uma fronteira, e nunca se sabe...

Um riacho atravessava a estrada. Pararam para dar de beber aos cavalos e, desmontando da sela, caminharam um pouco de um lado para outro, para desentorpecer.

Ortiz disse:

— Sabe o que há realmente de primeira ordem? — e riu com vontade.

— O quê, senhor capitão?

— A cozinha, verá como se come no forte. E isso explica a frequência das inspeções. A cada 15 dias, um general.

Drogo riu por cortesia. Não chegava a entender se Ortiz era um idiota, se escondia algo ou se estava conversando assim, à toa.

— Ótimo — disse Giovanni. — Estou com uma fome!

— Ah, já não falta muito agora. Está vendo aquela corcova com uma mancha de pedregulhos? Então, é bem atrás dela.

Retomando o caminho, atrás da corcova com uma mancha de pedregulhos, os dois oficiais desembocaram na borda de uma esplanada em leve subida, e o forte surgiu diante deles, a poucas centenas de metros.

Parecia realmente pequeno, comparado à visão da tarde anterior. Do forte central, que no fundo se assemelhava a uma caserna com poucas janelas, saíam duas baixas muralhas em ameias que o ligavam aos redutos laterais, dois de cada lado. As muralhas barravam fragilmente todo o desfiladeiro, de uns quinhentos metros de largura, fechado nos flancos por altos penhascos escarpados.

À direita, exatamente embaixo da parede da montanha, a esplanada enfossava-se numa espécie de sela; lá passava a antiga estrada do desfiladeiro, e terminava de encontro às muralhas.

O forte estava silencioso, imerso em pleno sol meridiano, desprovido de sombras. Suas muralhas (não se via a fachada, por estar virada para o norte) estendiam-se nuas e amareladas. Uma chaminé expelia uma fumaça pálida. Ao longo de toda a orla do edifício central, das muralhas e dos redutos, via-se dezenas de sentinelas, com o fuzil no ombro, caminharem, metódicas, de um lado ao outro, cada uma por um pequeno trecho. Semelhante a um movimento pendular, elas escandiam o caminho do tempo, sem romper o encanto daquela solidão que redundava imensa.

As montanhas, à direita e à esquerda, prolongavam-se a perder de vista em cadeias escarpadas, aparentemente inacessíveis. Elas também, pelo menos àquela hora, tinham uma cor amarelo-queimada.

Instintivamente, Giovanni Drogo deteve o cavalo. Passeando lentamente os olhos, fitava as sombrias muralhas sem conseguir decifrar seu sentido. Pensou numa prisão, pensou num paço real abandonado. Um leve sopro de vento fez ondular sobre o forte uma bandeira que antes pendia frouxa, confundindo-se com o mastro. Ouviu-se um vago eco de clarim. As sentinelas caminhavam lentas. No largo, diante da porta de entrada, três ou quatro homens (não se sabia, pela distância, se eram soldados) carregavam sacas para cima de um carro. Mas tudo estagnava num torpor misterioso.

Também o capitão Ortiz detivera-se e fitava o edifício.

— Lá está — disse, embora fosse perfeitamente desnecessário.

Drogo pensou: "Agora vai me perguntar o que me parece", e ficou aborrecido. O capitão, ao contrário, calou-se.

O forte Bastiani, com suas muralhas baixas, não era imponente, nem mesmo bonito, nem pitoresco por suas torres e bastiões; não havia absolutamente nada que consolasse aquela nudez, que lembrasse as doces coisas da vida.

Entretanto, como na tarde anterior, do fundo da garganta, Drogo o fitava hipnotizado, e uma inexplicável excitação penetrava em seu coração.

E atrás, o que havia? Além daquele inóspito edifício, além das ameias, das casamatas, do paiol, que barravam a vista, que mundo se abria? Como era o reino do Norte, o pedregoso deserto por onde ninguém nunca passara? O mapa — lembrava-se Drogo vagamente — assinalava para além da fronteira uma vasta região com pouquíssimos nomes, mas será que do alto do forte se veria pelo menos algum povoado, algum prado, uma casa, ou apenas a desolação de uma terra desabitada?

Sentiu-se repentinamente sozinho, e sua empáfia de soldado, tão desembaraçada até então, enquanto haviam durado as experiências de guarnição, com a cômoda casa, com os amigos alegres sempre ao lado, com as fortuitas aventuras nos jardins noturnos, toda a sua segurança lhe faltava de repente. Parecia-lhe, o forte, um daqueles mundos desconhecidos aos quais nunca pensara seriamente poder pertencer, não porque lhe parecessem odiosos, mas por lhe parecerem infinitamente distantes de sua vida rotineira. Um mundo bem mais exigente, sem nenhum esplendor além daquele de suas geométricas leis.

"Ah, voltar! Não ultrapassar sequer a soleira daquele forte e descer à planície, à sua cidade, aos velhos hábitos!"

Esse foi o primeiro pensamento de Drogo, e não importava que tamanha fraqueza fosse vergonhosa para um soldado, ele mesmo estava pronto a confessá-la, se preciso, contanto que o deixassem partir logo. Mas uma densa nuvem erguia-se, branca, do invisível horizonte do norte, sobre os bastiões, e imperturbáveis, sob o sol a pino, as sentinelas caminhavam para lá e para cá como autômatos. O cavalo de Drogo deu um relincho. Depois voltou o silêncio profundo.

Giovanni destacou finalmente os olhos do forte e olhou ao seu lado, para o capitão, esperando uma palavra amiga. Ortiz também permanecera imóvel e fitava intensamente as muralhas amarelas. Sim, ele, que ali vivia havia 18 anos, as contemplava, quase enfeitiçado, como se revisse um prodígio. Parecia não se cansar de admirá-las, e um vago sorriso, ao mesmo tempo de alegria e de tristeza, iluminava suavemente seu rosto.

III

Mal chegou, Drogo apresentou-se ao major Matti, ajudante-mor de primeira. O tenente de guarda, um jovem desembaraçado e cordial, chamado Carlo Morel, acompanhou-o através do coração do forte. Do saguão de entrada — de onde se entrevia um grande pátio deserto —, os dois se dirigiram para um vasto corredor, do qual não se conseguia ver o fim. O teto perdia-se na penumbra, de vez em quando uma pequena réstia de luz penetrava por estreitas frestas.

Somente no andar de cima encontraram um soldado que levava um maço de papéis. As paredes nuas e úmidas, o silêncio, a exiguidade das luzes: todos lá dentro pareciam ter-se esquecido de que em algum lugar do mundo existiam flores, mulheres sorridentes, casas alegres e hospitaleiras. Tudo ali dentro era uma renúncia, mas para quem, para que misterioso bem? Agora eles se dirigiam ao terceiro andar, através de um corredor exatamente idêntico ao primeiro. Ouvia-se, por trás de algumas paredes, o distante eco de uma risada, que a Drogo pareceu inverossímil.

O major Matti era gorducho e sorria com excessiva afabilidade. Seu escritório era amplo, e igualmente grande era a escrivaninha, atulhada de papéis. Um retrato do rei e o sabre do major estavam pendurados numa trave de madeira.

Drogo apresentou-se em posição de sentido, mostrou os documentos pessoais, começou a explicar que não fizera nenhum pedido para ser designado para o forte (estava decidido, logo que possível, a pedir transferência), mas Matti o interrompeu.

— Há anos conheci seu pai, tenente. Um cavalheiro exemplar. Decerto o senhor vai querer honrar a sua memória. Presidente da Corte Suprema, se não me engano?

— Não, senhor major — disse Drogo. — O meu pai era médico.

— Ah, pois é, médico, tem razão, ia me confundindo, claro, claro.

— Matti pareceu embaraçado por um instante, e Drogo notou que, levando frequentemente a mão esquerda ao colete, tentava esconder uma mancha de gordura, redonda, uma mancha evidentemente recente, no peito do uniforme.

O major recobrou-se rapidamente:

— Agrada-me vê-lo aqui em cima — disse. — Sabe o que disse Sua Majestade, Pedro III? "O forte Bastiani, sentinela de minha coroa." E eu acrescentaria que é uma grande honra pertencer a ele. Não concorda com isso, tenente?

Dizia essas coisas mecanicamente, como uma fórmula aprendida havia anos, que precisava desenterrar em determinadas ocasiões.

— Justamente, senhor major — disse Giovanni. — Tem toda a razão, mas, confesso-lhe, para mim foi uma surpresa. Tenho família na cidade, preferia, se possível, ficar por lá...

— Ah, mas então o senhor quer nos deixar antes mesmo de ter chegado, pode-se dizer? Confesso-lhe que é uma pena, sinto muito.

— Não é que eu queira. Eu não me permito discutir... Quero dizer que...

— Entendi — disse o major com um suspiro, como se aquela fosse uma velha história e ele soubesse compreendê-la. — Entendi: o senhor imaginava o forte diferente e agora está um tanto assustado. Mas diga-me sinceramente: como pode julgar honestamente, se chegou há poucos minutos?

— Senhor major — disse Drogo —, eu não tenho propriamente nada contra o forte... Apenas preferia ficar na cidade, ou pelo menos perto. Entende? Falo-lhe confidencialmente, vejo que o senhor entende dessas coisas, confio em sua gentileza...

— Mas claro, claro! — exclamou Matti, com um breve sorriso. — Estamos aqui para isso! Não queremos ninguém aqui de má vontade, nem mesmo a última das sentinelas. Apenas sinto, parece-me um ótimo rapaz...

O major calou-se por um instante, como para meditar sobre a melhor solução. Foi quando Drogo, virando um pouco a cabeça para a esquerda, dirigiu os olhos à janela, aberta para o pátio interno. Via-se a parede em frente, como as outras, amarelada e batida de sol, com os retângulos negros das raras janelas. Havia também um relógio que marcava duas horas, e, no terraço superior, uma sentinela, que caminhava de um lado para o outro, com o fuzil no ombro. Acima do beiral do edifício, distante, em meio aos revérberos meridianos, despontava um cume rochoso. Via-se apenas sua ponta extrema, e ele em si não tinha nada de especial. Entretanto, havia naquele trecho de despenhadeiro, para Giovanni Drogo, o primeiro chamado visível da terra do Norte, do legendário reino que pairava sobre o forte. E o resto, como seria? Uma luz sonolenta provinha daquele lado, por entre lentas nuvens de caligem. Então o major começou a falar:

— Diga-me — perguntou a Drogo —, o senhor gostaria de voltar imediatamente ou não se importa de esperar alguns meses? Para nós, repito-lhe, é indiferente... do ponto de vista formal, claro — acrescentou, para que a frase não parecesse descortês.

— Já que devo voltar — disse Giovanni, agradavelmente surpreso com a falta de dificuldades —, já que devo voltar, acho melhor que seja imediatamente.

— De acordo — tranquilizou-o o major. — Mas tenho de lhe explicar: se o senhor quiser partir logo, então é melhor que passe por doente. O senhor vai para a enfermaria, fica em observação por alguns dias, e o médico lhe dá um atestado. Há muitos, de fato, que não resistem a esta altitude...

— É mesmo necessário que eu passe por doente? — perguntou Drogo, que não gostava de fingimentos.

— Necessário, não, mas simplifica tudo. Caso contrário, o senhor precisaria fazer um pedido de transferência por escrito, é necessário enviar esse pedido ao comando supremo, é preciso que o comando supremo responda, são necessárias pelo menos duas semanas. Sobretudo é necessário que o coronel se ocupe dele, e é isso o que eu gostaria de evitar. Essas coisas no fundo lhe desagradam, ele fica magoado, é a palavra certa, magoado, como se fizessem uma injustiça ao seu forte. Bem, se eu fosse o senhor, se quer que eu seja sincero, preferiria evitar...

— Desculpe, senhor major — observou Drogo —, isso eu não sabia. Se ir embora pode me prejudicar, então é outra coisa.

— Longe disso, tenente, o senhor não me entendeu. Em nenhum dos casos sua carreira será afetada. Trata-se apenas, como dizer?, de uma nuance... Claro, é como lhe disse no começo, a coisa não agrada ao senhor coronel. Mas se o senhor está mesmo decidido...

— Não, não — disse Drogo. — Se as coisas são como o senhor diz, talvez seja melhor o atestado médico.

— A menos que... — disse Matti com um sorriso insinuante, deixando a frase em suspenso.

— A menos quê?

— A menos que o senhor se conforme em ficar quatro meses aqui, o que seria a melhor solução.

— Quatro meses? — perguntou Drogo, já um tanto desiludido, após a perspectiva de poder ir embora logo.

— Quatro meses — confirmou Matti. — O procedimento é muito mais regular. Explico-lhe: duas vezes por ano é feito um exame médico para todos, está prescrito formalmente. O próximo será daqui a quatro meses. Para o senhor, parece-me a melhor ocasião. E o atestado será negativo; se quiser, eu mesmo me encarrego disso. O senhor pode ficar absolutamente tranquilo. Além disso — continuou o major após uma pausa —, além disso, quatro meses são quatro meses, e bastam para um relatório pessoal. Pode ficar certo de que o senhor coronel o fará. E o senhor sabe que valor isso pode ter para sua carreira. Mas entendamo-nos, entendamo-nos bem: esse é um simples conselho, o senhor é completamente livre...

— Sim, senhor — disse Drogo —, entendo perfeitamente.

— O serviço aqui não é cansativo — sublinhou o major —, quase sempre serviço de guarda. E o Reduto Novo, que exige um pouco mais, no começo não lhe será decerto confiado. Canseira nenhuma, não tenha medo, terá mais ocasião é de ficar entediado...

Mas Drogo mal ouvia as explicações de Matti, estranhamente atraído pelo quadrado da janela, com aquele pedacinho de despenhadeiro que despontava por cima da parede da frente. Um vago sentimento que não conseguia decifrar insinuava-se em sua alma; talvez algo tolo e absurdo, uma sugestão sem nexo. Ao mesmo tempo sentia-se tranquilizado. Ainda queria ir embora, mas sem a ansiedade de antes. Quase se envergonhava das apreensões que tivera ao chegar. Acaso não estaria ele à altura dos demais? Uma partida imediata podia equivaler a uma confissão de inferioridade. Assim, o amor-próprio lutava contra o desejo de retomar a velha existência familiar.

— Senhor major — disse Drogo —, agradeço-lhe pelos seus conselhos, mas deixe-me pensar até amanhã.

— Perfeitamente — disse Matti, com evidente satisfação. — E esta noite? Não se importa que o coronel o veja no refeitório, ou prefere se resguardar?

— Não sei — respondeu Giovanni. — Seria inútil ficar escondido, tanto mais se devo permanecer aqui durante quatro meses.

— Melhor — disse o major. — Assim vai se sentir encorajado. Verá que gente simpática, todos oficiais de primeira ordem.

Matti sorriu, e Drogo entendeu que chegara o momento de retirar-se. Mas antes perguntou:

— Senhor major — pediu, com voz aparentemente calma —, posso dar uma olhada ao norte, para ver o que existe além das muralhas?

— Além das muralhas? Não sabia que o senhor se interessava por paisagens — respondeu o major.

— Só uma olhadela, senhor major, apenas por curiosidade. Ouvi dizer que existe um deserto e eu nunca vi nenhum.

— Não vale a pena, tenente. Uma paisagem monótona, não há nada de bonito. Acredite em mim, não pense nisso!

— Não insistirei, senhor major — disse Drogo —, pensei que não houvesse empecilhos.

O major Matti uniu, como num ato de reza, as pontas de seus dedos gorduchos:

— O senhor me pediu — disse — justamente a única coisa que não posso lhe conceder. Sobre as muralhas e nos corpos de guarda podem andar somente os militares de serviço, é preciso saber a senha.

— Mas nem por exceção, nem um oficial?

— Nem um oficial. Ah, entendo bem: para vocês da cidade essas minúcias parecem ridículas. Lá a senha não é um grande segredo. Aqui, no entanto, é outra coisa.

— Desculpe se insisto, senhor major...

— Diga, diga, tenente.

— Queria dizer: não há nenhuma seteira, uma janela, por onde se possa olhar?

— Só uma. Uma única, no gabinete do senhor coronel. Infelizmente ninguém pensou num mirante para os curiosos. Mas não vale a pena, repito-lhe, uma paisagem que não vale nada. Ah, acabará por se aborrecer com aquele panorama, se decidir ficar.

— Obrigado, senhor major, alguma ordem? — e bateu continência. Matti abanou amigavelmente a mão.

— Até logo, tenente. Mas não pense nisso; uma paisagem que não vale nada, garanto-lhe, uma paisagem idiota.

Naquela mesma noite, porém, o tenente Morel, liberado do serviço do dia, conduziu Drogo às escondidas até o beiral das muralhas, para que pudesse ver.

Um longo corredor, iluminado por raras lanternas, acompanhava todo o alinhamento das muralhas, de um limite ao outro do desfiladeiro. De vez em quando havia uma porta; depósitos, laboratórios, corpos de guarda. Caminharam por cerca de 150 metros até a entrada do terceiro reduto. Uma sentinela armada estava à soleira. Morel pediu para falar com o tenente Grotta, que comandava a guarda.

Assim, a despeito do regulamento, puderam entrar. Giovanni achou-se num pequeno corredor de passagem; numa parede, sob uma luz, havia uma tabela com os nomes dos soldados de serviço.

— Venha, venha cá — disse Morel a Drogo. — É melhor irmos depressa.

Drogo seguiu-o por uma estreita escada que desembocava ao ar livre, nos bastiões do reduto. O tenente Morel fez um sinal à sentinela com quem cruzaram, como para dizer que as formalidades eram inúteis.

Giovanni encontrou-se de repente diante das ameias perimetrais: à sua frente, inundado pela luz do poente, aprofundava-se o vale, revelavam-se aos seus olhos os segredos do setentrião.

Uma leve palidez tomou conta do rosto de Drogo, petrificado, que mirava. A sentinela vizinha detivera-se, e um silêncio desmedido parecia ter descido por entre os halos do crepúsculo. Depois Drogo perguntou, sem mover os olhos:

— E atrás? Atrás daquelas rochas, como é? Tudo assim, até o fim?

— Nunca vi — respondeu Morel. — É preciso ir até o Reduto Novo, aquele lá longe, em cima daquele cone. Dali enxerga-se toda a planície dianteira. Dizem... — e então calou-se.

— Dizem... O que dizem? — perguntou Drogo, e uma insólita inquietação tremia em sua voz.

— Dizem que é toda de pedras, uma espécie de deserto, seixos brancos, dizem, como se fosse neve.

— Só pedras? Mais nada?

— É o que dizem, e alguns charcos.

— Mas no fundo, ao norte, será que não se vê alguma coisa?

— No horizonte quase sempre há névoas — disse Morel, sem a cordial exuberância de antes. — Há as névoas do norte que não permitem ver.

— As névoas! — exclamou Drogo, incrédulo. — É impossível que fiquem ali para sempre, algum dia o horizonte deverá estar limpo.

— Raramente está limpo, nem mesmo no inverno. Mas há os que dizem ter visto.

— Dizem ter visto o quê?

— Andaram sonhando, isso sim. Veja lá se dá para acreditar nos soldados. Um diz uma coisa, outro diz outra. Alguns dizem ter visto torres brancas, ou então dizem que há um vulcão fumegante e que de lá saem as névoas. Mesmo Ortiz, o capitão, garante ter visto, vai fazer uns cinco anos agora. Pelo que disse, há uma longa mancha escura, deveriam ser florestas.

Calaram-se. Onde, afinal, Drogo já vira aquele mundo? Talvez o tivesse vivido em sonho, ou quem sabe o construíra lendo uma antiga fábula? Parecia-lhe reconhecer os baixos despenhadeiros em ruínas, o vale tortuoso sem plantas nem verdes, aqueles precipícios a pique e, finalmente, aquele triângulo de desolada planície que as rochas à frente não conseguiam esconder. Profundos ecos de sua alma haviam despertado, e ele não sabia decifrá-los.

Agora Drogo descortinava o mundo do setentrião, a terra desabitada através da qual os homens, diziam, nunca haviam passado. De lá nunca haviam chegado inimigos, nunca houvera combates, nunca acontecera nada.

— E então? — perguntou Morel, buscando um tom jovial. — Como é, gostou?

— Não sei... — Drogo só soube dizer isso. Desejos turbilhonavam dentro dele, juntamente com medos insensatos. Ouviu-se um clarim, um rápido toque de clarim, sabe-se lá vindo de onde.

— É melhor você ir agora — aconselhou Morel. Mas Giovanni pareceu não escutar, absorto em procurar alguma coisa entre os próprios pensamentos. Os clarões da tarde se enfraqueciam, e o vento, despertado pelas sombras, roçava ao longo da arquitetura geométrica do forte. Para esquentar-se, a sentinela recomeçava a caminhar, fitando de vez em quando Giovanni Drogo, que lhe era desconhecido.

— É melhor ir agora — repetiu Morel, pegando o colega por um braço.

IV

Muitas vezes já lhe havia acontecido de ficar sozinho: em alguns casos, quando ainda menino, vagando pelo campo; outras vezes, na cidade noturna, nas ruas habituadas aos crimes, e até mesmo na noite anterior, quando dormira na estrada. Mas agora era bem diferente, agora passara a excitação da viagem, seus novos colegas já dormiam, e ele estava sentado em seu quarto, à luz do lampião, na beira da cama, triste e perdido. Agora, sim, conhecia a sério o que era a solidão (um quarto não muito feio, todo forrado de madeira, com uma grande cama, uma mesa, um incômodo divã, um guarda-roupa). Todos tinham sido gentis, à mesa abriram uma garrafa em sua honra, mas agora não ligavam para ele, já o haviam esquecido completamente (acima da cama um crucifixo de madeira, do outro lado uma velha gravura com uma longa inscrição, da qual se liam as primeiras palavras: "*Humanissimi viri Francisci angloisi virtutibus*"). Ninguém entraria durante a noite inteira para falar com ele; ninguém, em todo o forte, pensava nele, e não apenas no forte, talvez no mundo inteiro não haveria vivalma que estivesse pensando em Drogo; cada um tem suas próprias ocupações, cada um mal basta a si mesmo; talvez até sua mãe, podia ser que até ela, nesse momento, tivesse outras coisas em mente, não era ele o seu único filho, pensara em Giovanni o dia inteiro, agora precisava pensar um pouco nos outros também. Mais do que justo, admitia Giovanni Drogo, sem sombra de reprovação; no entanto ele estava sentado na beira da cama, no quarto do forte (gravado na madeira da parede, agora notava, colorido com extraordinária paciência, um sabre em tamanho natural, que podia à primeira vista parecer de verdade, meticuloso trabalho de algum oficial, quem sabe há quantos anos), estava sentado na beira da cama, com a cabeça um tanto inclinada para a frente, as costas curvadas, os olhos mudos e pesados, e sentia-se sozinho como nunca.

Drogo levantou-se com esforço, foi abrir a janela, olhou para fora. A janela dava para o pátio e não se enxergava nada além. Visto que estava olhando para o sul, Giovanni tentou em vão distinguir, na noite, as montanhas que atravessara para chegar ao forte; elas pareciam mais baixas, ocultas pela parede dianteira.

Apenas três janelas estavam iluminadas, mas pertenciam à mesma fachada que a sua, de modo que não se enxergava seu interior; seus feixes de luz, e o do quarto de Drogo, estampavam-se agigantados na parede oposta, e num deles agitava-se uma sombra, talvez um oficial despindo-se. Fechou a janela, despiu-se, deitou-se, ficou alguns minutos pensando, fitando o teto, também recoberto de madeira. Esquecera-se de trazer algo para ler, mas naquela noite isso não lhe importava, pois estava com muito sono. Apagou a luz, da escuridão emergiu pouco a pouco o retângulo claro da janela, e Drogo viu brilharem as estrelas.

Pareceu-lhe que um torpor repentino o arrastava para o sono. Mas tinha demasiada consciência disso. Uma confusão de imagens, quase de sonho, passaram-lhe pela frente, começavam mesmo a formar uma história; mas depois de alguns instantes percebeu que ainda estava acordado.

Mais acordado do que antes, pois a vastidão do silêncio o feriu. De muito longe — mas era verdade, então? —, ouviu-se alguém tossir. Em seguida, perto, um flácido "ploc" de água, que se propagou pelos muros. Uma pequena estrela verde (ele a enxergava, permanecendo imóvel), em sua viagem noturna, atingia o limite superior da janela, dentro em pouco desapareceria; cintilou um instante justamente sobre a beirada escura e depois sumiu. Drogo quis acompanhá-la mais um pouco, esticando a cabeça para a frente. Naquele momento ouviu-se um segundo "ploc", igual ao baque de um objeto na água. Ainda se repetiria? Esperou de tocaia o som, um rumor subterrâneo, de águas paradas, de casas mortas. Passaram minutos imóveis, o silêncio absoluto parecia, finalmente, o incontrastável senhor do forte. E de novo giravam ao redor de Drogo insensatas imagens da vida distante.

Ploc! De novo o som odioso. Drogo sentou-se. Aquele era então um ruído repetitivo; os últimos baques não tinham sido menores que o primeiro, não podia, portanto, ser uma goteira que fosse parar. Como era possível dormir? Drogo lembrou-se de que ao lado da cama pendia um cordão, talvez de uma campainha. Experimentou puxar, o cordão cedeu, e, num remoto meandro do edifício, respondeu, quase imperceptível, um breve tilintar. "Que tolice", pensou, "chamar alguém por uma bobagem dessas. Além disso, quem é que viria?"

No corredor, fora, pouco depois ressoaram passos, que se tornaram cada vez mais próximos, e alguém bateu na porta.

— Entre! — disse Drogo.

Surgiu um soldado com uma lanterna na mão.

— Às ordens, senhor tenente.

— Aqui não se pode dormir, raios! — disse Drogo, esforçando-se para ficar com raiva. — O que é esse barulho nojento? Algum cano pingando, tente fazê-lo parar, não se pode absolutamente dormir; às vezes basta pôr um trapo embaixo.

— É a cisterna — respondeu imediatamente o soldado, como se tivesse prática do assunto. — É a cisterna, senhor tenente, não há nada a fazer.

— A cisterna?

— Sim, senhor — explicou o soldado. — A cisterna da água, bem atrás daquele muro. Todos se queixam, mas não se pode fazer nada. Não é só daqui que se ouve. Também o capitão Fonzaso às vezes reclama, mas não há nada a fazer.

— Vá, pode ir, então — disse Drogo. A porta fechou-se, os passos se afastaram, aumentou novamente o silêncio, brilharam as estrelas na janela. Giovanni agora pensava nas sentinelas que a poucos metros dele caminhavam como autômatos de um lado para o outro, sem um instante de pausa. Dezenas e dezenas eram os homens despertos, enquanto ele jazia na cama, enquanto tudo parecia imerso no sono. "Dezenas e dezenas", pensava Drogo. Mas para quem, para quê? O formalismo militar, naquele forte, parecia ter criado uma insana obra de arte. Centenas de homens guardando um desfiladeiro por onde ninguém passaria. "Partir, partir sem demora", pensava Giovanni. Sair desse ar, desse mistério nevoento. Ah, a sua boa casa; a essa hora sua mãe certamente estaria dormindo, e as luzes, todas apagadas; a menos que pensasse nele por um momento ainda, era aliás muito provável, ele a conhecia bem, por uma coisa de nada ficava aflita e à noite revirava-se na cama sem encontrar repouso.

Ainda a regurgitação da cisterna, ainda uma outra estrela que ultrapassou a moldura da janela, e sua luz continuava atingindo o mundo, os bastiões do forte, os olhos febris das sentinelas, porém não mais Giovanni Drogo, que aguardava o sono, atormentado por sinistros pensamentos.

E se as sutilezas de Matti fossem todas uma comédia? Se na realidade, mesmo depois dos quatro meses, não o deixassem mais partir? Se com falsos pretextos regulamentares o impedissem de rever a cidade? Se precisasse ficar ali em cima por anos a fio, e naquele quarto, naquela cama solitária, devesse consumir sua juventude? Que hipóteses absurdas, dizia-se Drogo, dando-se conta de sua tolice; entretanto não conseguia expulsá-las, elas voltavam a tentá-lo logo em seguida, protegidas pela solidão da noite.

Parecia-lhe desse modo sentir crescer à sua volta uma obscura trama que queria prendê-lo. Provavelmente não se tratava nem mesmo de Matti. Nem ele, nem o coronel, nem outro oficial qualquer se importavam com ele: que ficasse ou partisse, era sem dúvida para eles completamente indiferente; todavia, uma força desconhecida trabalhava contra a sua volta à cidade, talvez emanasse de sua própria alma, sem que ele se apercebesse disso.

Depois viu um átrio, um cavalo numa estrada branca; pareceu-lhe que o chamavam pelo nome, e foi invadido pelo sono.

V

Duas noites depois, Giovanni Drogo montou guarda pela primeira vez no terceiro reduto. Às seis da tarde enfileiraram-se no pátio as sete guardas: três para o forte, quatro para os redutos laterais. A oitava, para o Reduto Novo, partira com antecedência porque havia muita estrada a ser percorrida.

O sargento-mor Tronk, veterano do forte, conduzira os 28 homens para o terceiro reduto, mais um corneteiro, perfazendo 29. Eram todos da segunda companhia, aquela do capitão Ortiz, para onde Giovanni fora designado. Drogo assumiu o comando e desembainhou a espada.

Os sete contingentes que entravam de guarda estavam alinhados perpendicularmente, e de uma janela, de acordo com a tradição, o coronel comandante os passava em revista. Na terra amarela do pátio, eles formavam um desenho escuro, belo de ver.

O céu varrido pelo vento resplandecia acima das muralhas, cortadas em diagonal pelo último sol. Uma tarde de setembro. O vice-comandante, tenente-coronel Nicolosi, saiu pelo portão de comando, mancando devido a um antigo ferimento e apoiando-se na espada. Naquele dia estava de serviço, para a inspeção, o gigantesco capitão Monti; sua voz rouca deu a ordem, e todos juntos, absolutamente juntos, os soldados apresentaram as armas, com um poderoso estrépito metálico. Fez-se um vasto silêncio.

Então, um por um, os corneteiros dos sete contingentes deram os toques usuais. Eram os famosos clarins de prata do forte Bastiani, com cordões de seda vermelha e ouro, com um grande brasão pendurado. Sua voz pura espalhou-se pelo céu, fazendo vibrar o imóvel gradil das baionetas, com uma vaga sonoridade de sino. Os soldados estavam parados como estátuas, e seus rostos, militarmente fechados. Não, com certeza não se preparavam para os monótonos turnos de guarda; com aqueles olhares de heróis, certamente — parecia — iam esperar o inimigo.

O último toque perdurou no ar, repetido pelas longínquas muralhas. As baionetas cintilaram ainda um instante, luzidias contra o céu profundo, depois foram engolidas pelas fileiras, apagando-se simultaneamente. O coronel desaparecera da janela. Ressoaram os passos dos sete contingentes que se dirigiam às respectivas muralhas, através dos labirintos do forte.

Uma hora mais tarde, Giovanni Drogo encontrava-se no terraço mais alto do terceiro reduto, no mesmo lugar de onde, na noite anterior, olhara para o norte. Na véspera viera espiar como um viajante de passagem. Agora, ao contrário, era ele o patrão: por 24 horas o reduto inteiro e cem metros de muralha dependeriam somente dele. Quatro artilheiros, abaixo dele, no interior do fortim, cuidavam de dois canhões apontados para o fundo do vale; três sentinelas dividiam entre si o espaço perimetral do reduto, outras quatro estavam escalonadas ao longo da muralha, para a direita, 25 metros uma da outra.

A troca com as sentinelas que deixavam o posto dera-se com meticulosa precisão, sob as vistas do sargento-mor Tronk, especialista nos regulamentos. Tronk estava no forte havia 22 anos, e agora já não saía mais dali, sequer nos períodos de licença. Ninguém conhecia como ele cada canto da fortificação; amiúde os oficiais o encontravam de noite a perambular ao redor, inspecionando na escuridão mais negra, sem luz nenhuma. Quando estava de serviço, as sentinelas não abandonavam em momento algum o fuzil nem se apoiavam nos muros e evitavam até parar, pois as paradas só eram permitidas em ocasiões extraordinárias; durante a noite inteira, Tronk não dormia, e a passos silenciosos andava pelo caminho de ronda, pondo-as em sobressalto. "Quem vem lá, quem vem lá?", perguntavam as sentinelas, sobraçando o fuzil. "Grotta", respondia o sargento-mor. "Gregorio", dizia a sentinela.

Praticamente, oficiais e suboficiais em serviço de guarda rondavam na orla das próprias muralhas sem formalidade; eram bem conhecidos dos soldados, e a troca da senha pareceria ridícula. Somente com Tronk os soldados seguiam o regulamento ao pé da letra.

Era baixo e magro, com cara de velhote e a cabeça raspada; falava raramente, mesmo com os colegas, e nas horas livres preferia em geral ficar sozinho, estudando música. Aquela era a sua mania; tanto que o maestro da banda, o sargento Espina, talvez fosse o seu único amigo. Possuía um acordeão, mas não tocava quase nunca, mesmo tendo fama de ser exímio; estudava harmonia e diziam que escrevera várias marchas militares. Ao certo, porém, não se sabia de nada.

Não havia perigo, quando em serviço, de que se pusesse a assobiar, como era seu hábito durante o descanso. Comumente vagava pelas ameias, ao longe, perscrutando o vale do norte, à procura de não se sabe o quê. Agora estava ao lado de Drogo e lhe apontava o caminho que, através de íngremes despenhadeiros, levava ao Reduto Novo.

— Lá vai a guarda que foi rendida — dizia Tronk, fazendo sinal com o indicador direito, mas na penumbra do crepúsculo Drogo não conseguiu enxergá-la. O sargento-mor sacudiu a cabeça.

— O que foi? — perguntou Drogo.

— É que o serviço assim não vai, eu sempre disse: é coisa de loucos.

— Mas o que aconteceu?

— O serviço assim não vai — repetiu Tronk. — Deveriam fazer primeiro a troca da guarda no Reduto Novo. Mas o senhor coronel não quer.

Giovanni olhou-o, admirado: era possível que Tronk ousasse criticar o coronel?

— O senhor coronel — continuou o sargento-mor com profunda seriedade e convicção, não decerto para ratificar as últimas palavras — tem toda a razão de seu ponto de vista. Mas ninguém lhe explicou o perigo.

— O perigo? — perguntou Drogo: que perigo podia haver afinal em transferir-se do forte ao Reduto Novo, por aquele cômodo atalho, em local tão deserto?

— O perigo — repetiu Tronk. — Um dia ou outro, acontecerá alguma coisa, com essa escuridão.

— E o que se deveria fazer? — perguntou Drogo por cortesia; toda aquela história lhe interessava relativamente.

— Antigamente — disse o sargento-mor, bastante contente por poder exibir sua competência —, antigamente, no Reduto Novo a guarda era trocada duas horas antes que a do forte. Sempre de dia, mesmo no inverno; além disso, a tarefa das senhas era simplificada. Era preciso uma para entrar no reduto, e uma nova senha para o dia de guarda e a volta ao forte. Duas eram suficientes. Quando a guarda que deixava o serviço estava de volta ao forte, a guarda nova ainda não tinha entrado em serviço aqui e a palavra ainda era válida.

— Pois é, entendo — dizia Drogo, desistindo de acompanhá-lo.

— Mas depois — contava Tronk — ficaram com medo. É imprudente, diziam, deixar à solta, fora da fronteira, tantos soldados que conhecem a senha. Nunca se sabe, diziam, é mais fácil que um soldado em cinquenta traia do que um único oficial.

— É, pois é — concordou Drogo.

— Então pensaram: é melhor que só o comandante conheça a senha. Assim, agora saem do forte 45 minutos antes da troca da guarda.

Suponhamos hoje. A troca geral foi feita às seis. A guarda para o Reduto Novo partiu daqui às cinco e quinze e chegou lá exatamente às seis. Para sair do forte não é preciso senha porque é uma divisão enquadrada numa formatura. Para entrar no reduto é preciso a senha da véspera, conhecida apenas pelo oficial. E assim ela dura 24 horas, até que as forças de guarda sejam rendidas por um novo contingente. Amanhã à tarde, então, quando os soldados voltarem ao forte (poderão chegar às seis e meia, na volta o caminho é menos cansativo), a senha estará mudada. Com isso, há necessidade de uma terceira senha. O oficial precisa saber as três, a que serve para a ida, a que se usa no serviço e a terceira, para a volta. Todas essas complicações para que os soldados, enquanto estão a caminho, não saibam. E eu digo — continuava, sem se preocupar se Drogo prestava atenção ou não —, eu digo: se a senha é conhecida apenas pelo oficial e ele, suponhamos, sente-se mal no caminho, o que fazem os soldados? Nunca poderão obrigá-lo a falar. E não podem sequer voltar ao lugar de onde vieram, porque, enquanto isso, lá também a senha foi trocada. Será que não pensam nisso? E depois, se pretendem o sigilo, não percebem que desse modo precisam de três senhas em vez de duas e que a terceira, aquela para entrar de novo no dia seguinte no forte, é posta em circulação mais de 24 horas antes? Seja o que for que aconteça, são obrigados a mantê-la, senão a guarda não pode mais entrar.

— Mas — objetou Drogo — serão reconhecidos na porta, não é? Logo verão que é a guarda voltando!

Tronk fitou o tenente com um certo ar de superioridade.

— Isso é impossível, senhor tenente. Existe um regulamento no forte. Do lado norte, sem a senha, ninguém pode entrar, não importa quem seja.

— Mas, então — disse Drogo, irritado com aquele rigor absurdo —, então não seria mais simples dar uma senha especial para o Reduto Novo? Primeiro rendem a guarda, e a senha para retornar é dita apenas ao oficial. Assim os soldados não ficam sabendo de nada.

— Claro — disse o suboficial, quase triunfante, como se estivesse à espera daquela objeção. — Talvez fosse a melhor solução. Mas precisaria mudar o regulamento, seria necessária uma lei. O regulamento diz (entoou a voz numa cadência didática): "A senha dura 24 horas, de um render da guarda ao seguinte; uma única senha vigora no forte e em suas dependências." Diz exatamente "suas dependências". É bem claro. Não há como se enganar.

— Mas antigamente — disse Drogo, que no começo não prestara atenção — o render do Reduto Novo não era feito antes?

— Claro! — exclamou Tronk, depois se corrigiu: — Sim, senhor. Somente de dois anos para cá aconteceu isso. Antes era muito melhor.

O suboficial calou-se. Drogo fitava-o, espantado. Após 22 anos de forte, o que sobrara daquele soldado? Lembraria Tronk ainda que existiam, em outras partes do mundo, milhões de homens iguais a ele, que não vestiam farda? E andavam livres pela cidade e, à noite, podiam, a seu bel-prazer, ir para a cama, ou à cantina ou ao teatro? Não (olhando para ele era possível ver logo), Tronk se esquecera dos outros homens, para ele não existia nada além do forte, com seus odiosos regulamentos. Tronk não se lembrava mais de como soavam as doces vozes das moças, nem de como eram feitos os jardins, nem dos rios, nem das outras árvores que não fossem as magras e raras moitas espalhadas pelos arredores do forte; Tronk olhava, sim, para o setentrião, mas não no mesmo sentido que Drogo; ele fitava o atalho para o Reduto Novo, o fosso e a contraescarpa, perlustrava as possíveis vias de acesso, mas não via os despenhadeiros selvagens, nem aquele triângulo de planície misteriosa, tampouco as nuvens brancas que navegavam pelo céu, já quase noturno. Assim, quando vinha a escuridão, apoderava-se novamente de Drogo o desejo de fugir. Por que não havia partido logo? Repreendia-se. Por que cedera às melífluas diplomacias de Matti? Agora precisava esperar que se completassem os quatro meses, 120 longuíssimos dias, metade dos quais de guarda nas muralhas. Pareceu-lhe achar-se entre homens de outra raça, numa terra estranha, num mundo duro e ingrato. Olhou ao seu redor, e reconheceu Tronk, que, imóvel, observava as sentinelas.

VI

A noite já havia descido por completo. Drogo estava sentado no quarto desnudo do reduto e mandara vir papel, tinta e caneta para escrever.

"Querida mamãe", começou, e imediatamente sentiu-se como quando era criança. Sozinho, à luz de um lampião, sem que ninguém o visse, no coração do forte para ele desconhecido, longe de casa, de todas as coisas familiares e boas, parecia-lhe um consolo poder, pelo menos, abrir completamente o seu coração.

Claro, com os outros, com os colegas oficiais, devia comportar-se como um homem, devia rir com eles e contar histórias ousadas sobre militares e mulheres. A quem mais, senão a sua mãe, podia dizer a verdade? E a verdade de Drogo naquela noite não era uma verdade de soldado valente, talvez não fosse digna do austero forte, os companheiros teriam rido dela. A verdade era o cansaço da viagem, a opressão dos muros sombrios, o sentir-se completamente só.

"Cheguei esgotado após dois dias de viagem", era o que escreveria, "e ao chegar soube que, se quisesse, poderia voltar à cidade. O forte é triste, não há povoados por perto, não há nenhuma diversão e nenhuma alegria." Era o que iria escrever.

Mas Drogo lembrou-se da mãe, àquela hora ela estaria pensando justamente nele, consolando-se com a ideia de que o filho passava seu tempo alegremente com amigos simpáticos, quem sabe em agradável companhia. Ela certamente acreditava que ele estivesse contente e sereno.

"Querida mamãe", sua mão escreveu. "Cheguei anteontem após ótima viagem. O forte é grandioso..." Ah, fazê-la entender a esqualidez daqueles muros, aquele vago ar de punição e exílio, aqueles homens desconhecidos e absurdos... Ao contrário: "Os oficiais daqui me acolheram afetuosamente", escrevia. "Também o ajudante-mor de primeira foi muito gentil e deixou-me completamente livre para voltar à cidade se quisesse. Contudo eu..."

Talvez naquele momento a mãe andasse pelo seu quarto abandonado, abrisse uma gaveta, pusesse em ordem algumas velhas roupas, os livros, a escrivaninha; já os arrumara muitas vezes, mas parecia-lhe desse modo reencontrar um pouco a presença viva dele, como se ele fosse regressar, como de costume, antes do jantar. Parecia-lhe estar ouvindo o conhecido rumor de seus passos curtos e irrequietos, como se estivessem sempre preocupados com algo. Como teria coragem de amargurá-la? Se estivesse junto dela, no mesmo quarto, abrigado sob o teto familiar, aí, sim, Giovanni lhe diria tudo e ela nem teria tempo de afligir-se, pois ele estaria ao seu lado e o mau bocado já teria passado. Mas assim de longe, por carta? Sentado ao lado dela, diante da lareira, na tranquilizadora calma da velha casa, aí, sim, lhe falaria do major Matti e de suas insidiosas blandícias, das manias de Tronk! Diria que tinha sido tolo em aceitar permanecer quatro meses, e provavelmente ambos ririam disso tudo. Mas como fazer, assim de longe?

"Contudo", escrevia Drogo, "achei bom para mim e para minha carreira ficar algum tempo por aqui... A companhia também é muito simpática, o serviço é fácil e nada cansativo." E o seu quarto, o barulho da cisterna, o encontro com o capitão Ortiz e a desolada terra do Norte? Não devia explicar-lhe os férreos regulamentos da guarda, no simples reduto em que se encontrava? Não, nem mesmo com a mãe podia ser sincero, nem mesmo a ela podia confessar os obscuros temores que não o deixavam em paz.

Em sua casa, na cidade, os relógios, um após outro, com toques diferentes, marcavam agora dez horas, as badaladas faziam tinir levemente os copos nas cristaleiras, da cozinha chegava um eco de risada, do outro lado da rua, um toque de piano. Através de uma estreitíssima janela, quase uma vigia, do lugar onde estava sentado, Drogo podia dar uma olhada em direção ao vale do norte, aquela terra desolada; mas agora só se enxergava a escuridão. A caneta arranhava um pouco. Embora a noite triunfasse, o vento começava a soprar por entre as ameias, trazendo desconhecidas mensagens, ainda que dentro do reduto se amontoassem, densas, as trevas, e o ar estivesse úmido e desagradável, "em suma estou muito contente", escrevia Giovanni Drogo.

Das nove horas da noite até o amanhecer, a cada meia hora um sino tocava no quarto reduto, na extremidade direita do desfiladeiro, onde terminavam as muralhas. Soava um pequeno sino, e logo a última sentinela chamava o companheiro mais próximo; desta ao soldado seguinte e assim por diante, até a extremidade oposta das muralhas, de reduto em reduto, através do forte e ainda ao longo dos bastiões, o chamado corria na noite. "Alerta, alerta!" As sentinelas não punham nenhum entusiasmo no grito, repetiam-no mecanicamente, com estranhos timbres na voz.

Deitado na cama, sem ter-se despido, Giovanni Drogo, tomado por um crescente torpor, ouvia de vez em quando sobrevir de longe aquele grito. "Aé... aé... aé...", chegava-lhe apenas. Tornava-se cada vez mais forte, passava-lhe por cima, com a máxima intensidade, distanciava-se pelo outro lado, caindo pouco a pouco no nada. Dois minutos depois, ei-lo de volta, reenviado, como contraprova, pelo primeiro fortim à esquerda. Drogo escutava-o ainda aproximar-se, a passos lentos e iguais, "aé... aé... aé..." Apenas quando estava sobre ele, repetido por suas sentinelas, conseguia distinguir a palavra. Mas logo o "alerta" confundia-se, numa espécie de lamento que morria finalmente na última sentinela, contra o pedestal dos despenhadeiros.

Giovanni ouviu chegar o chamado quatro vezes e quatro vezes tornar a descer a orla do forte até o ponto de onde partira. Na quinta vez, chegou à consciência de Drogo apenas uma vaga ressonância, que lhe provocou um breve sobressalto. Veio-lhe à mente que não ficava bem, para o oficial de guarda, dormir; o regulamento o permitia com a condição de não se despir, mas quase todos os oficiais jovens do forte, por uma espécie de elegante altivez, permaneciam acordados a noite inteira, lendo, fumando charutos, visitando abusivamente um ao outro e jogando baralho. Tronk, a quem antes Giovanni pedira informações, dera-lhe a entender que era de bom tom ficar acordado.

Estirado na cama, fora da zona iluminada pelo lampião de querosene, enquanto devaneava sobre a própria vida, Giovanni Drogo foi repentinamente invadido pelo sono. Entretanto, justamente aquela noite — oh, se o soubesse, talvez não tivesse vontade de dormir —, justamente aquela noite iria começar para ele a irreparável fuga do tempo.

Até então ele passara pela despreocupada idade da primeira juventude, uma estrada que na meninice parece infinita, onde os anos escoam lentos e com passo leve, tanto que ninguém nota a sua passagem. Caminha-se placidamente, olhando com curiosidade ao redor, não há necessidade de se apressar, ninguém empurra por trás e ninguém espera, também os companheiros procedem sem preocupações, detendo-se frequentemente para brincar. Das casas, à porta, a gente grande cumprimenta-se benigna e aponta para o horizonte com sorrisos de cumplicidade; assim o coração começa a bater por heroicos e suaves desejos, saboreia-se a véspera das coisas maravilhosas que aguardam mais adiante; ainda não se veem, não, mas é certo, absolutamente certo, que um dia chegaremos a elas.

Falta muito? Não, basta atravessar aquele rio lá longe, no fundo, ultrapassar aquelas verdes colinas. Ou já não se chegou, por acaso? Não são talvez estas árvores, estes prados, esta casa branca o que procurávamos? Por alguns instantes tem-se a impressão que sim, e quer-se parar ali. Depois ouve-se dizer que o melhor está mais adiante, e retoma-se despreocupadamente a estrada. Assim, continua-se o caminho numa espera confiante, e os dias são longos e tranquilos, o sol brilha alto no céu e parece não ter mais vontade de desaparecer no poente.

Mas a uma certa altura, quase instintivamente, vira-se para trás e vê-se que uma porta foi trancada às nossas costas, fechando o caminho de volta. Então sente-se que alguma coisa mudou, o sol não parece mais imóvel, desloca-se rápido, infelizmente, não dá tempo de olhá-lo, pois já se precipita nos confins do horizonte, percebe-se que as nuvens não estão mais estagnadas nos golfos azuis do céu, fogem, amontoando-se umas sobre as outras, tamanha é sua afoiteza; compreende-se que o tempo passa e que a estrada, um dia, deverá inevitavelmente acabar.

A um certo momento, batem às nossas costas um pesado portão, fecham-no a uma velocidade fulminante, e não há tempo de voltar. Mas Giovanni Drogo, naquele momento, dormia, inocente, e sorria no sono, como fazem as crianças.

Passarão alguns dias antes que Drogo entenda o que aconteceu. Será então como um despertar. Olhará à sua volta, incrédulo; depois ouvirá um barulho de passos vindo de trás, verá as pessoas, despertadas antes dele, que correm afoitas e o ultrapassam para chegar primeiro. Ouvirá a batida do tempo escandir avidamente a vida. Nas janelas não mais aparecerão figuras risonhas, mas rostos imóveis e indiferentes. E se perguntar quanto falta do caminho, ainda lhe apontarão o horizonte, mas sem nenhuma bondade ou alegria. Entretanto, os companheiros se perderão de vista, um porque ficou para trás, esgotado, outro porque desapareceu antes e já não passa de um minúsculo ponto no horizonte.

Além daquele rio — dirão as pessoas —, mais dez quilômetros, e terá chegado. Ao contrário, não termina nunca, os dias se tornam cada vez mais curtos, os companheiros de viagem, mais raros, nas janelas estão apáticas figuras pálidas que balançam a cabeça.

Até Drogo ficar completamente sozinho e no horizonte surgir a estria de um imensurável mar parado, cor de chumbo. Então já estará cansado, as casas, ao longo da rua, terão quase todas as janelas fechadas, e as raras pessoas visíveis lhe responderão com um gesto desconsolado: o que era bom ficou para trás, muito para trás, e ele passou adiante, sem dar por isso. Ah, é demasiado tarde para voltar, atrás dele aumenta o fragor da multidão que o segue, impelida pela mesma ilusão, mas ainda invisível, na branca estrada deserta.

Giovanni Drogo agora dorme no interior do terceiro reduto. Ele sonha e sorri. São as últimas vezes que chegarão até ele, na noite, as suaves imagens de um mundo completamente feliz. Ai, se pudesse ver a si mesmo, como estará um dia, lá onde a estrada termina, parado na praia do mar de chumbo, sob um céu cinzento e uniforme, sem nenhuma casa ao redor, nenhum homem, nenhuma árvore, nem mesmo um fio de erva, tudo assim desde um tempo imemorável.

VII

Finalmente chegou da cidade a arca com as roupas do tenente Drogo. Entre outras coisas, havia uma capa novíssima, de extraordinária elegância. Drogo vestiu-a e olhou-se, detalhe por detalhe, no pequeno espelho de seu quarto. Pareceu-lhe uma viva ligação com seu mundo distante; pensou com satisfação que todos a teriam admirado, tão esplêndido era o tecido e elegante o seu feitio.

Achou que não devia estragá-la no serviço do forte, nas noites de guarda, entre os muros úmidos. Era também de mau agouro usá-la ali, pela primeira vez, como a admitir que não teria ocasiões melhores. No entanto, sentia não exibi-la, e, ainda que não estivesse fazendo frio, quis vesti-la ao menos para ir até o alfaiate do regimento, de quem compraria uma outra, mais comum.

Deixou então o quarto e desceu as escadas, observando, onde a luz permitia, a elegância da própria sombra. Todavia, à medida que descia ao coração do forte, a capa parecia perder de algum modo seu primeiro esplendor. Drogo percebeu que não conseguia usá-la com naturalidade; parecia-lhe uma coisa estranha, de chamar a atenção. Agradou-lhe, por isso, que as escadas e os corredores estivessem quase desertos. Um capitão, que encontrou, respondeu ao seu cumprimento sem um olhar a mais que o necessário. Nem mesmo os raros soldados viravam os olhos para vê-lo.

Desceu por uma estreita escadinha em espiral, talhada no corpo de uma muralha, e seus passos ressoaram acima e abaixo, como se houvesse outras pessoas. As preciosas faldas da capa batiam, oscilando, no branco bolor dos muros.

Drogo chegou então aos subterrâneos. A oficina do alfaiate Prosdocimo ficava alojada num porão. Um raio de luz descia, nos dias de sol, por uma pequena janela no nível do chão, mas naquela tarde já tinham acendido as luzes.

— Boa tarde, senhor tenente — disse Prosdocimo, o alfaiate do regimento, assim que o viu entrar. No salão, apenas alguns trechos eram iluminados; uma mesa onde um velhinho escrevia, outra onde trabalhavam três jovens ajudantes. Em toda a volta, pendiam, flácidos, com o sinistro abandono de enforcados, dezenas e dezenas de uniformes, capas e capotes.

— Boa tarde — respondeu Drogo. — Queria uma capa, uma capa que não custe muito, basta que dure quatro meses.

— Deixe-me ver — disse o alfaiate, com um sorriso de curiosidade desconfiada, pegando a barra da capa de Drogo e trazendo-a na direção da luz; ele tinha o grau de sargento, mas sua qualificação de alfaiate concedia-lhe o direito a uma certa familiaridade irônica para com os superiores. — Bom tecido, bom... Deve ter custado os olhos da cara, imagino, lá na cidade não brincam. — Deu uma olhadela profissional, sacudiu a cabeça, fazendo tremer as bochechas cheias e sanguíneas. — Pena que...

— Pena o quê?

— Pena que a gola seja tão baixa, é pouco militar.

— Usa-se assim agora — disse Drogo, com superioridade.

— A moda pode determinar gola baixa — disse o alfaiate —, mas para nós, militares, a moda não importa. A moda tem de ser o regulamento, e o regulamento diz: "gola da capa apertada ao pescoço, como um cinto, com a altura de sete centímetros." O senhor deve pensar, senhor tenente, que sou um alfaiate qualquer, vendo-me neste buraco.

— Por quê? — retrucou Drogo. — Nada disso, pelo contrário.

— O senhor talvez pense que sou um alfaiate qualquer. Pelo contrário, muitos oficiais me apreciam, até na cidade, e oficiais de respeito. Estou aqui em caráter ab-so-lu-ta-men-te pro-vi-só-rio — e escandiu as duas últimas palavras como uma premissa de grande importância.

Drogo não sabia o que dizer.

— Qualquer dia desses vou-me embora — continuava Prosdocimo. — Se não fosse pelo senhor coronel, que não quer deixar-me ir... Do que vocês aí estão rindo?

Na penumbra, de fato, ouvira-se a risada sufocada dos três ajudantes; agora haviam abaixado a cabeça, exageradamente atentos ao trabalho. O velhinho continuava a escrever, como alguém isolado do mundo.

— Do que estavam rindo? — repetiu Prosdocimo. — Vocês são uns tipos espertos demais. Um dia desses vão ver o que acontece...

— Pois é — disse Drogo —, do que estavam rindo?

— São uns tolos — disse o alfaiate. — É melhor não ligar para eles.

Naquele momento ouviram-se passos nas escadas, e surgiu um soldado. Prosdocimo era chamado lá em cima pelo sargento encarregado do depósito do vestuário.

— Desculpe-me, senhor tenente — disse o alfaiate. — É um assunto de serviço. Dentro de dois minutos estarei de volta. — E acompanhou o soldado.

Drogo sentou-se, preparando-se para esperar. Os três ajudantes, logo após a saída do chefe, interromperam o trabalho. O velhinho levantou finalmente os olhos de seus papéis, ficou de pé e se aproximou, mancando, de Giovanni.

— Ouviu isso? — perguntou-lhe, com um sotaque esquisito, fazendo um sinal para indicar o alfaiate que havia saído. — Ouviu isso? Sabe, senhor tenente, há quantos anos ele está aqui no forte?

— Não sei, não saberia dizer...

— Quinze anos, senhor tenente, 15 malditos anos, e continua a repetir a história de sempre: estou aqui em caráter provisório, qualquer dia desses...

Alguém sussurrou na mesa dos ajudantes; devia ser esse o seu costumeiro objeto de riso. O velhinho sequer ligou.

— E, ao contrário, jamais sairá daqui — disse. — Ele, o senhor coronel comandante e muitos outros ficarão aqui até estourar, é uma espécie de doença, tenha cuidado o senhor, tenente, que é novo, que mal acabou de chegar, tenha cuidado enquanto é tempo...

— Cuidado com o quê?

— Vá embora quando puder, para não pegar a mania deles.

— Estou aqui apenas por quatro meses — disse Drogo —, não tenho a menor intenção de ficar.

— Tenha cuidado assim mesmo, senhor tenente — repetiu o velhinho. — Começou com o senhor coronel Filimore. Preparam-se grandes eventos, começou a dizer, lembro-me muito bem, há uns 18 anos. Dizia "eventos", exatamente. Essa é a sua frase. Pôs na cabeça que o forte é importantíssimo, muito mais importante que todos os demais, e que na cidade não entendem nada.

Falava devagar, entre uma palavra e outra dava tempo para insinuar-se o silêncio.

— Colocou na cabeça que o forte é importantíssimo, que deve acontecer alguma coisa.

Drogo sorriu.

— Que deve acontecer alguma coisa? Quer dizer uma guerra?

— Quem sabe, pode ser até uma guerra.

— Uma guerra do lado do deserto?

— Do lado do deserto, talvez — confirmou o velhinho.

— Mas quem? Quem deveria vir?

— Como quer que eu saiba? Não virá ninguém, é claro. Mas o senhor coronel comandante estudou os mapas, diz que ali há tártaros ainda, diz, um resto do antigo exército que se desloca de cima a baixo.

Na penumbra, ouviu-se a risada idiota dos três ajudantes.

— E estão aqui esperando — prosseguiu o velhinho. — Veja o senhor coronel, o senhor capitão Stizione, o senhor capitão Ortiz, o senhor tenente-coronel, todo ano há de acontecer alguma coisa, é sempre assim, até que sejam reformados. — Interrompeu-se, esticou a cabeça para um lado como para escutar. — Pareceu-me ouvir passos — disse. Mas não se ouvia ninguém.

— Não estou ouvindo nada — disse Drogo.

— Até Prosdocimo — disse o velhinho. — É um simples sargento, alfaiate do regimento, mas pôs-se do lado deles. Também ele espera, há 15 anos... Mas o senhor não está convencido, senhor tenente, estou vendo, o senhor fica calado e acha que são histórias. — Acrescentou, quase suplicante: — Tenha cuidado, estou lhe dizendo, o senhor se deixará sugestionar, também o senhor acabará ficando, basta olhá-lo nos olhos.

Drogo se calava, parecia-lhe indigno de um oficial abrir-se assim com um pobre coitado como aquele.

— Mas o senhor — disse — o que faz, então?

— Eu? — disse o velhinho. — Eu sou irmão dele, estou aqui trabalhando com ele.

— Irmão dele? Irmão mais velho?

— Pois é — o velhinho sorriu —, irmão mais velho. Eu também era militar antigamente, depois quebrei uma perna, fiquei reduzido a isto.

No silêncio subterrâneo, Drogo ouviu então as pancadas do próprio coração, que se pusera a bater forte. Então também o velhinho, entocado no porão a fazer contas, também aquela obscura e humilde criatura aguardava um destino heroico? Giovanni fitava-o nos olhos, e o outro sacudiu um pouco a cabeça com amarga tristeza, como a dizer que sim, que não havia remédio: assim somos feitos — parecia dizer — e nunca mais ficaremos curados.

Talvez porque em algum lugar das escadas tivesse sido aberta uma porta, agora ouviam-se, filtradas pelas paredes, longínquas vozes humanas de indeterminada procedência; de vez em quando cessavam, deixando um vazio, pouco depois reapareciam, iam e vinham ainda, como lenta respiração do forte.

Agora Drogo finalmente entendia. Fitava as sombras múltiplas dos uniformes pendurados, que tremulavam conforme oscilavam as luzes, e pensou que naquele exato momento o coronel, no recôndito de seu gabinete, abrira a janela para o norte. Estava certo: numa hora tão triste como aquela, pela escuridão e pelo outono, o comandante do forte olhava para o setentrião, para as negras voragens do vale.

Do deserto do norte devia chegar a sorte, a aventura, a hora milagrosa, que, pelo menos uma vez, cabe a cada um. Para essa vaga eventualidade, que parecia tornar-se cada vez mais incerta com o tempo, os homens consumiam ali a melhor parte das suas vidas.

Não haviam se adaptado à existência comum, às alegrias das pessoas comuns, ao destino medíocre; lado a lado, viviam com a mesma esperança, sem nunca mencioná-la, porque não se davam conta ou simplesmente porque eram soldados, com o pudor ciumento do próprio íntimo.

Até Tronk, talvez. Tronk seguia os itens do regulamento, a disciplina matemática, o orgulho da responsabilidade escrupulosa, e se iludia imaginando que aquilo lhe bastava. Mas, se lhe tivessem dito: será sempre assim enquanto viver, tudo igual até o fim, também ele teria acordado. Impossível, teria dito. Alguma coisa de diferente ainda deverá acontecer, alguma coisa de realmente digno, de que se possa dizer: agora, mesmo que tenha acabado, paciência.

Drogo compreendera o fácil segredo deles, e com alívio pensou estar fora disso, espectador não contaminado. Dentro de quatro meses, graças a Deus, ele os deixaria para sempre. Os obscuros fascínios da velha construção tinham-se dissolvido, ridículos. Assim pensava. Mas por que o velhinho continuava a fitá-lo com aquela expressão ambígua? Por que Drogo sentia o desejo de assobiar um pouco, de tomar vinho, de sair ao ar livre? Quem sabe para demonstrar a si mesmo que estava realmente livre e tranquilo?

VIII

Eis os novos amigos de Drogo: tenentes Carlo Morel, Pietro Angustina, Francesco Grotta, Max Lagorio. Estão sentados com ele à mesa, nessa hora vazia. Apenas um criado permanece ali, apoiado ao batente de uma porta distante, e os retratos dos antigos coronéis, alinhados nas paredes em volta, imersos na penumbra. Oito garrafas escuras estão sobre a toalha, na desordem do jantar terminado.

Estão todos de certo modo excitados, um pouco pelo vinho, um pouco pela noite, e, quando suas vozes se calam, ouve-se lá fora a chuva. Homenageiam o conde Max Lagorio, que parte no dia seguinte, após dois anos de forte.

Lagorio disse:
— Angustina, se você vem também, eu o espero. — Disse isso no seu costumeiro tom de brincadeira, mas via-se que era verdade.

Também Angustina terminara os dois anos de serviço, mas não queria partir. Angustina era pálido e estava sentado com seu perene ar de distanciamento, como se não se interessasse absolutamente por eles, como se estivesse ali por mero acaso.

— Angustina — repetiu Lagorio quase com um grito, nos limites da embriaguez. — Se você vem também, espero-o, estou disposto a esperar três dias.

O tenente Angustina não respondeu, apenas sorriu de leve, com resignação. Seu uniforme azul, desbotado pelo sol, destacava-se dos demais por uma indefinível e desalinhada elegância.

Lagorio voltou-se para os outros, para Morel, para Grotta, para Drogo:
— Digam-lhe vocês também — e pousou a mão direita no ombro de Angustina.

— Iria lhe fazer bem ir à cidade.

— Iria me fazer bem? — perguntou Angustina, com certa curiosidade.

— Na cidade estaria melhor, é isso. Todos, aliás, eu acho.

— Estou muito bem — disse, seco, Angustina. — Não preciso de cuidados.

— Não disse que precisava de cuidados. Disse que lhe faria bem.

Assim falou Lagorio, e ouviu-se lá fora, no pátio, cair a chuva. Angustina cofiava com dois dedos o bigodinho, e estava entediado, isso era visível.

Lagorio continuou:

— Você não pensa em sua mãe, nos seus... Imagine, quando sua mãe...

— Minha mãe saberá conformar-se — respondeu Angustina, com um amargo subentendido.

Lagorio entendeu e mudou de assunto:

— Diga, Angustina, pense nisso, topar depois de amanhã com Claudina? Faz dois anos que não a vê...

— Claudina... — disse Angustina com indolência. — Que Claudina? Não me lembro.

— Ora, não se lembra! Não é possível conversar com você esta noite, é isso. Não é um segredo, não? Eu via vocês juntos todos os dias.

— Ah — disse Angustina para mostrar-se gentil —, agora me lembro. Pois é, Claudina, vai ver que nem sabe mais que eu existo...

— Alto lá, o que é isso, meu velho, sabemos muito bem que são todas loucas por você, não se faça de modesto! — exclamou Grotta, e Angustina fitou-o sem piscar, chocado, ao que parecia, com tamanha sensaboria.

Calaram-se. Lá fora, na noite, sob a chuva outonal, caminhavam as sentinelas. A água abatia-se nos terraços, gorgolejava nas calhas, escorria pelos muros. Lá fora era noite alta, e Angustina teve um breve acesso de tosse. Parecia estranho que de um jovem tão refinado pudesse sair um som tão desagradável! Mas ele tossia com sábio comedimento, baixando a cada vez a cabeça, como a indicar que não podia impedir o acesso de tosse, no fundo não era coisa sua, embora por correção lhe coubesse suportá-la. Desse modo transformava a tosse numa espécie de trejeito extravagante, digno de ser imitado.

Entretanto, fizera-se um silêncio penoso, que Drogo sentiu necessidade de romper.

— Diga, Lagorio — perguntou —, a que horas você irá partir amanhã?

— Lá pelas dez, acho. Queria ir antes, mas ainda tenho que me despedir do coronel.

— O coronel levanta-se às cinco, no verão e no inverno, não é ele que vai fazer você perder tempo.

Lagorio riu.

— Mas eu não me levanto às cinco. Pelo menos na última manhã quero estar à vontade, não há ninguém correndo atrás de mim.

— O depois de amanhã já chegou, então — observou Morel com inveja.
— Parece até impossível, juro-lhes — disse Lagorio.
— O que é impossível?
— Estar na cidade daqui a dois dias... (Uma pausa.) E para sempre também.
Angustina estava pálido, agora não alisava mais o bigodinho, mas fitava diante de si a penumbra. Já pairava na sala o sentimento da noite, quando os medos saem das decrépitas paredes e a infelicidade se torna suave, quando a alma bate, orgulhosa, as asas sobre a humanidade adormecida. Os olhos vítreos dos coronéis, nos grandes retratos, exprimiam presságios heroicos. E lá fora a chuva, sempre.
— Imagine só! — disse Lagorio, sem misericórdia, para Angustina.
— Depois de amanhã à noite, a esta hora, é bem possível que eu esteja no Consalvi. Gente fina, música, belas mulheres — dizia, repetindo uma velha brincadeira.
— Grande coisa! — respondeu Angustina com desdém.
— Ou então... — continuava Lagorio, com a melhor das intenções, unicamente para convencer o amigo. — Olhe, talvez seja melhor, irei à casa dos Tron, seus tios, há gente simpática lá e "joga-se como gente grande", diria Giacomo.
— Ah, grande coisa! — respondeu Angustina.
— De qualquer modo — disse Lagorio —, depois de amanhã estarei me divertindo e você estará de serviço. Estarei passeando pela cidade (e ria, pensando nisso) e você terá o capitão de inspeção. "Tudo em ordem, só a sentinela Martini sentiu-se mal." Às duas horas o sargento o acordará: "Senhor tenente, é hora da inspeção"; ele o acordará às duas, pode crer, e na mesmíssima hora, sem dúvida, estarei na cama com Rosaria...
Eram as frívolas e inconscientes crueldades de Lagorio, às quais todos estavam acostumados. Mas, por trás de suas palavras, surgia aos companheiros a imagem da cidade distante, com seus palácios e suas igrejas imensas, as cúpulas, as alamedas românticas ao longo do rio. Àquela hora, pensavam, devia haver uma neblina fina, e os lampiões emitiam uma tênue luz amarelada; àquela hora, vultos de casais pelas ruas solitárias, gritos de cocheiros diante das vidraças acesas da Ópera, ecos de violinos e de risos, vozes de mulher (dos sombrios portais das casas ricas), janelas iluminadas em alturas incríveis, em meio ao

labirinto dos telhados; a fascinante cidade com seus sonhos de juventude, suas aventuras ainda desconhecidas.

Todos agora olhavam, sem dá-lo a perceber, o rosto de Angustina, pesado de um cansaço inconfesso; não estavam ali, sabiam, para homenagear Lagorio, que ia embora; na verdade festejavam Angustina, pois somente ele acabaria ficando. Um por um, após Lagorio, chegando a sua vez, também iriam embora Grotta, Morel e antes ainda Giovanni Drogo, que tinha apenas quatro meses a cumprir. Angustina, ao contrário, ficaria, não conseguiam entender por quê, mas sabiam disso. E embora sentissem obscuramente que também dessa vez ele obedeceria a seu ambicioso estilo de vida, não eram mais capazes de invejá-lo; parecia, no fundo, uma mania absurda.

E por que Angustina, maldito esnobe, ainda sorri? Por que, doente como está, não corre para fazer as malas, não se prepara para partir? E, ao contrário, fica olhando a penumbra à sua frente? No que está ele pensando? Que secreto orgulho o prende ao forte? Então ele também? Olhe para ele, Lagorio, você que é seu amigo, olhe bem para ele enquanto é tempo, faça com que o seu rosto fique na sua mente assim como está agora, com o nariz afilado, o olhar mudo, aquele ingrato sorriso, talvez um dia você compreenda por que ele não quis segui-lo, saiba o que estava encerrado por trás de seu semblante imóvel.

Lagorio partiu na manhã seguinte. Seus dois cavalos o aguardavam, com o ordenança, diante da porta do forte. O céu estava encoberto e não chovia.

Lagorio mostrava uma expressão contente. Saíra de seu quarto sem sequer dar uma espiada nele, nem se virou para trás quando chegou lá fora, para olhar o forte. As muralhas estavam acima dele, tenebrosas e severas, a sentinela à porta permanecia imóvel, não havia vivalma na vasta esplanada. De uma casinha, pegada ao forte, saíam ritmados sons de martelo.

Angustina descera para despedir-se do companheiro. Fez um afago no cavalo.

— Continua um belo animal — disse. Lagorio estava indo embora, descia à cidade, à vida fácil e alegre. Ele, ao contrário, ficava, olhava com olhos impenetráveis o companheiro, que se ocupava com os animais; e tentava sorrir.

— Parece até impossível que eu esteja indo embora — dizia Lagorio. — Este forte era uma obsessão para mim.

— Vá cumprimentar os meus, quando chegar — disse Angustina, sem lhe prestar atenção. — Diga a minha mãe que estou bem.

— Fique tranquilo — respondeu Lagorio. E depois de uma pausa acrescentou: — Fiquei aborrecido ontem à noite, sabe? Nós somos bem diferentes; aquilo que você pensa, no fundo, eu nunca entendi. Parece mania, não sei, mas talvez você tenha razão.

— Nem estava pensando nisso — disse Angustina, apoiando a mão direita no flanco do cavalo e olhando para o chão. — É claro que não fiquei com raiva.

Eram dois homens diferentes, que gostavam de coisas diferentes, distantes pela inteligência e pela cultura. Ficava-se até admirado de vê-los sempre juntos, tamanha era a superioridade de Angustina. No entanto, eram amigos; dentre todos eles, Lagorio era o único que instintivamente o compreendia, somente ele sentia pena do companheiro, envergonhava-se, quase, de partir antes dele, como de uma desagradável ostentação, e não conseguia decidir-se.

— Se vir Claudina — disse ainda Angustina, sem alterar a voz —, cumprimente-a... Aliás, não, é melhor que você não diga nada.

— Ah, mas ela irá me perguntar, se eu a vir. Sabe muito bem que você está aqui.

Angustina calou-se.

— Então — disse Lagorio, que terminara de acomodar o saco de viagem, com o ordenança —, é melhor eu ir, senão fica tarde. Até logo.

Apertou a mão do amigo; depois, num elegante movimento, saltou na sela.

— Adeus, Lagorio! — exclamou Angustina. — Boa viagem.

Ereto na sela, Lagorio o fitava; não era muito inteligente, mas uma obscura voz dizia-lhe que talvez não voltassem a se ver.

Uma batida de esporas, e o cavalo pôs-se em movimento. Foi então que Angustina ergueu levemente a mão direita para fazer um aceno, como para chamar o companheiro, para que parasse ainda por um momento, pois precisava dizer-lhe uma última coisa. Lagorio viu o gesto com o canto dos olhos e deteve-se a uns vinte metros.

— O que foi? — perguntou. — Queria alguma coisa?

Mas Angustina abaixou a mão, recobrando a postura indiferente de antes.

— Nada, nada — respondeu. — Por quê?

— Ah, pareceu-me... — disse Lagorio, perplexo, e afastou-se através da esplanada, balançando sobre a sela.

IX

Os terraços do forte eram brancos, assim como o vale do sul e o deserto do setentrião. A neve cobria inteiramente os bastiões, estendera uma frágil moldura ao longo das ameias, caía com pequenos baques pelas calhas, desprendia-se de vez em quando do flanco dos precipícios, sem nenhuma razão aparente, e horríveis massas retumbavam em grandes sulcos, fumegando.

Não era a primeira neve, mas a terceira ou a quarta, e isso indicava que muitos dias haviam se passado.

— Parece que cheguei ontem ao forte — dizia Drogo, e era assim. Parecia ontem, entretanto o tempo se consumira com seu ritmo imóvel, idêntico para todos os homens, nem mais lento para quem é feliz nem mais veloz para os desventurados.

Nem devagar nem rápido, outros três meses se passaram. O Natal já se dissolvia na distância, também o novo ano viera, trazendo aos homens, por alguns instantes, estranhas esperanças. Giovanni Drogo já se preparava para partir. Era necessária ainda a formalidade do exame médico, como lhe prometera o major Matti, e depois poderia ir embora. Ele continuava a repetir a si mesmo que esse era um acontecimento alegre, que na cidade o aguardava uma vida boa, divertida e talvez feliz, contudo não estava contente.

Na manhã de 10 de janeiro, entrou no gabinete do médico, no último andar do forte. Chamava-se Ferdinando Rovina, tinha mais de cinquenta anos, um rosto flácido e inteligente, mostrava um cansaço resignado, e não vestia o uniforme, mas uma comprida toga escura de juiz. Estava sentado à sua mesa com vários livros e papéis à frente; porém Drogo, entrando quase repentinamente, percebeu que não estava fazendo nada; sentava-se imóvel, pensando sabe-se lá em quê.

A janela dava para o pátio, e dali subia um som de passos cadenciados, pois já era noite e começava a troca da guarda. Pela janela via-se um trecho do muro da frente e o céu extraordinariamente sereno. Os dois se cumprimentaram, e Giovanni notou que o médico estava perfeitamente a par do seu caso.

— Os corvos fazem ninhos e as andorinhas vão embora — disse Rovina, brincando, e puxou de uma gaveta um papel com um formulário impresso.

— O senhor talvez não saiba, doutor, que vim parar aqui por engano — respondeu Drogo.

— Todos, meu filho, vieram parar aqui por engano — disse o médico, numa patética alusão a si mesmo. — Uns mais, outros menos, mesmo os que acabaram ficando.

Drogo não entendeu bem e contentou-se em sorrir.

— Ah, não o reprovo! Fazem bem, vocês, jovens, em não ficar mofando aqui — continuava Rovina. — Na cidade há muitas outras oportunidades. Até eu penso nisso, de vez em quando, se pudesse...

— Por quê? — perguntou Drogo. — Não poderia pedir transferência?

O médico agitou as mãos como se tivesse ouvido um absurdo.

— Pedir transferência? — e riu com gosto. — Depois de 25 anos que estou aqui? Tarde demais, meu filho, precisava ter pensado nisso antes.

Talvez tivesse gostado que Drogo voltasse a contradizê-lo, mas, como o tenente se calou, foi entrando no assunto: convidou Giovanni a sentar-se, fez com que desse o nome e o sobrenome, que escreveu no lugar apropriado, na ficha regulamentar.

— Bem — concluiu. — O senhor sofre de alguns distúrbios do aparelho circulatório, certo? Seu organismo não resiste a essa altitude, não é mesmo? Está bem assim?

— Está bem — concordou Drogo. — O senhor é o melhor juiz para essas coisas.

— Vamos prescrever também um período de convalescença, já que estamos nisso? — disse o médico, fazendo um sinal de entendimento.

— Agradeço-lhe — disse Drogo —, mas não queria exagerar.

— Como queira. Nada de licença, portanto. Eu, na sua idade, não tinha esses escrúpulos.

Giovanni, em vez de sentar-se, aproximou-se da janela, e olhava de vez em quando para baixo, para os soldados enfileirados sobre a neve branca. O sol acabara de se pôr, e entre as muralhas difundira-se uma penumbra azul.

— Mais da metade de vocês depois de três ou quatro meses quer ir embora — dizia com uma certa tristeza o médico, ele também já envolto pelas sombras, tanto que era impossível entender como conseguia enxergar para escrever. — Até eu, se pudesse voltar atrás, faria como vocês... Mas pensando bem, depois de tudo, é uma pena.

Drogo ouvia sem interesse, atento que estava a olhar pela janela. E então pareceu-lhe ver os muros amarelados do pátio elevarem-se, altíssimos, para o céu de cristal, e, acima deles, ainda mais altas, solitárias torres, muralhas oblíquas coroadas de neve, aéreos bastiões e fortins, que nunca notara antes. Uma luz clara do ocidente ainda os iluminava, e eles, misteriosamente, resplandeciam de uma vida impenetrável. Nunca Drogo percebera que o forte era tão complicado e imenso. Viu a janela (ou uma fresta?) aberta para o vale, numa altura quase incrível. Lá em cima devia haver homens que ele não conhecia, talvez até algum oficial como ele, de quem poderia ter sido amigo. Viu sombras geométricas de abismos entre um bastião e outro, viu tênues pontos suspensos entre os telhados, estranhos portões trancados, rentes às muralhas, antigos cadinhos para chumbagem obstruídos, longas quinas encurvadas pelos anos.

Viu entre lanternas e archotes, no fundo lívido do pátio, soldados imensos e altivos desembainharem as baionetas. No clarão da neve, formavam fileiras escuras e imóveis, como que de ferro. Eram belíssimos e estavam petrificados, enquanto um clarim começava a tocar. Os toques se ampliavam pelo ar, vivos e luzidios, e penetravam direto no coração.

— Um por um, vão-se todos — murmurava Rovina na penumbra. — Acabaremos por ficar apenas nós, os velhos. Este ano...

O clarim tocava lá embaixo no pátio, som puro de voz humana e metal. Palpitou ainda com ímpeto guerreiro. Ao silenciar, deixou inexprimível encanto, até no gabinete do médico. O silêncio tornou-se tal que se pôde ouvir um longo passo ranger na neve gelada. O coronel em pessoa descera para saudar a guarda. Três toques de extrema beleza rasgaram o céu.

— Quem sobrou de vocês? — continuava a recriminar o médico. — O tenente Angustina, o único. Até Morel, aposto, no ano que vem precisará descer à cidade para tratar-se. Aposto que ele também acabará por ficar doente...

— Morel? — Drogo não podia deixar de responder para mostrar que estava escutando. — Morel, doente? — perguntou, sem ter apanhado senão as últimas palavras.

— Ah, não — disse o médico. — Uma espécie de metáfora.

No entanto, através da janela fechada, ouviam-se os passos vítreos do coronel. No crepúsculo, as baionetas faziam, alinhadas, muitas estrias de prata. De distâncias improváveis chegavam ecos de clarins, o som de antes, talvez, devolvido pelas muralhas.

O médico calava-se. Depois ergueu-se e disse:

— Aqui está o atestado. Agora vou levá-lo para o comandante assinar. — Dobrou a folha e colocou-a numa pasta, tirou do cabide o capote e um gorro de pele.

— O senhor também vem, tenente? — perguntou. — O que está olhando, afinal?

As guardas de serviço tinham deposto as armas e se moviam, uma por uma, na direção das diversas portas do forte. Sobre a neve, a cadência de seus passos fazia um rumor surdo, mas por cima voava a música das fanfarras. Depois, mesmo que fosse inverossímil, os muros, já cercados pela noite, ergueram-se lentamente em direção ao zênite, e de seu limite supremo, emoldurado por tiras de neve, começaram a desprender-se nuvens brancas em forma de airão, navegantes dos espaços siderais.

Passou pela cabeça de Drogo a lembrança de sua cidade, uma imagem pálida, ruas fragorosas sob a chuva, estátuas de gesso, umidades de casernas, tristes toques de sinos, rostos cansados e desfeitos, tardes sem fim, tetos cobertos de poeira.

Aqui, ao contrário, avançava a noite grande das montanhas, com as nuvens em fuga sobre o forte, milagrosos presságios. E do norte, do setentrião invisível atrás das muralhas, Drogo sentia a premência do próprio destino.

O médico já estava na soleira.

— Doutor, doutor — disse Drogo, quase sussurrando. — Estou bem.

— Eu sei — respondeu o médico. — Em que estava pensando?

— Estou bem — repetiu Drogo, quase não reconhecendo a própria voz. — Estou bem e quero ficar.

— Ficar aqui no forte? Não quer mais ir embora? O que lhe aconteceu?

— Não sei — disse Giovanni. — Mas não posso ir embora.

— Ah! — exclamou Rovina, aproximando-se. — Se não está brincando, juro que fico contente.

— Não estou brincando, não — disse Drogo, que sentia a exaltação transformar-se numa estranha dor, próxima da felicidade. — Doutor, jogue fora aquele papel.

X

Assim devia acontecer, e isso, quem sabe, já estivesse estabelecido havia muito tempo, desde aquele dia distante em que Drogo surgiu pela primeira vez, com Ortiz, à beira do planalto e o forte apareceu-lhe no pesado esplendor meridiano.

Drogo decidiu permanecer, retido por um desejo, mas não apenas por isso: o pensamento heroico talvez não fosse suficiente para tanto. Por ora ele acredita ter feito algo nobre, e de boa-fé se orgulha disso, descobrindo-se melhor do que supunha. Só muitos meses mais tarde, olhando para trás, reconhecerá as míseras coisas que o ligam ao forte.

Mesmo que tivessem tocado os clarins, que fossem ouvidas as canções de guerra, que do Norte chegassem mensagens inquietantes, se fosse somente por isso, Drogo teria igualmente ido embora; mas já havia nele o torpor dos hábitos, a vaidade militar, o amor doméstico pelos muros cotidianos. Quatro meses haviam bastado para amalgamá-lo ao monótono ritmo do serviço.

Tornara-se hábito para ele o turno da guarda, que das primeiras vezes parecia um peso insuportável; pouco a pouco, aprendeu as regras, os modos de falar, as manias dos superiores, a topografia dos redutos, os postos das sentinelas, os recantos onde não soprava o vento, a linguagem dos clarins. Do fato de dominar o serviço, tirava um prazer especial, avaliando a crescente estima dos soldados e dos suboficiais; até Tronk percebera como Drogo era sério e escrupuloso, quase se afeiçoara a ele.

Tornaram-se hábitos para ele os colegas, agora já os conhecia tão bem, que mesmo seus mais sutis subentendidos não o pegavam desprevenido; e por bastante tempo, à noite, ficavam juntos, conversando sobre os acontecimentos da cidade, que, pela distância, adquiriam um interesse desmedido. Hábito, a mesa sempre pronta e farta, a acolhedora lareira do lugar de encontro dos oficiais, dia e noite sempre acesa; o zelo do ordenança, um bom homem chamado Geronimo, que pouco a pouco ficou conhecendo seus menores desejos.

Hábitos, os passeios realizados de vez em quando com Morel ao povoado menos distante: duas horas inteiras a cavalo através de um estreito vale que já conhecia de cor, uma taverna onde se via alguma cara nova, preparavam-se jantares suntuosos e se ouviam frescas risadas de moças com quem se podia fazer amor.

Hábitos, as desenfreadas corridas a cavalo, de ponta a ponta através da esplanada atrás do forte, em competição de bravura com os companheiros, nas tardes de folga, e as pacientes partidas de xadrez, à noite, que terminavam em voz alta, frequentemente ganhas por Drogo (o capitão Ortiz lhe dissera: "É sempre assim, os recém-chegados no começo ganham sempre. Com todos acontece o mesmo, iludimo-nos de sermos realmente valentes, só que, ao contrário, é apenas questão da novidade, os outros também acabam por aprender o nosso sistema, e um belo dia não se consegue mais nada.").

Eram hábitos para Drogo o quarto, as plácidas leituras noturnas, a fenda no teto, em cima da cama, que parecia a cabeça de um turco, os baques da cisterna, que com o tempo se tornaram íntimos, a cova escavada pelo seu corpo no colchão, as cobertas, tão inóspitas nos primeiros dias e agora docilmente acolhedoras, o movimento, agora executado instintivamente na distância exata, para apagar o lampião de querosene ou depositar o livro sobre o criado-mudo. Já sabia agora como devia postar-se de manhã, quando fazia a barba diante do espelho, para que a luz iluminasse seu rosto no ângulo exato, como devia verter a água da bilha no alguidar sem derramar fora, como destrancar a fechadura rebelde de uma arca, mantendo a chave um pouco torcida para baixo.

Hábito, o rangido da porta nas épocas de chuva, o ponto onde costumava bater o luar que entrava pela janela e seu lento deslocar-se com o passar das horas, a agitação no quarto embaixo do seu, todas as noites, à uma e meia em ponto, quando a antiga ferida da perna direita do tenente--coronel Nicolosi despertava misteriosamente, interrompendo-lhe o sono.

Todas essas coisas já haviam se tornado suas, e abandoná-las seria doloroso. Drogo porém não sabia, não suspeitava que a partida lhe daria trabalho, nem que a vida do forte engolia os dias um após o outro, todos iguais, numa velocidade vertiginosa. Ontem e anteontem eram iguais, ele não mais sabia distingui-los; um acontecimento de três dias antes ou de vinte acabava por parecer-lhe igualmente distante. Assim se dava, à sua revelia, a fuga do tempo. Mas por enquanto ei-lo, audacioso e despreocupado, sobre os bastiões do quarto reduto, numa noite pura e gélida. Devido ao frio, as sentinelas continuavam a caminhar sem pausa, e seus passos rangiam na neve gelada. Uma lua cheia e alvíssima iluminava o mundo. O forte, os despenhadeiros, o vale pedregoso, ao norte, estavam inundados de luz maravilhosa, até a cortina das névoas estagnadas no extremo setentrião brilhava.

Embaixo, na sala do oficial de serviço, no interior do reduto, o lampião permanecera aceso, a chama oscilava levemente, fazendo balançar as sombras. Drogo, pouco antes, começara a escrever uma carta, precisava responder a Maria, irmã de Vescovi, seu amigo, que um dia talvez seria sua esposa. Porém, após duas linhas, levantara-se, sem saber por quê, e subira ao telhado para olhar.

Era aquela a parte mais baixa da fortificação, correspondente à concavidade máxima do desfiladeiro. Naquele ponto da muralha ficava a porta que punha em comunicação os dois Estados. Os maciços batentes de ferro não mais se abriam havia um tempo imemorável. E a guarda para o Reduto Novo saía e entrava todos os dias por uma portinhola secundária, da largura de apenas um homem e vigiada por uma sentinela. Pela primeira vez, Drogo fazia a guarda no quarto reduto. Mal se encontrou ao ar livre, olhou os penhascos proeminentes à direita, todos incrustados de gelo e resplendentes sob a lua.

Lufadas de vento começavam a transportar pequenas nuvens brancas através do céu e sacudiam a capa de Drogo, a capa nova, que significava tantas coisas para ele.

Imóvel, ele fitava as barreiras dos desfiladeiros fronteiriços, as impenetráveis distâncias do norte, e as abas da capa crepitavam como uma bandeira, drapejando tempestuosas ao vento. Drogo sentia possuir, naquela noite, uma beleza altaneira e militar, ereto na orla do terraço, com a esplêndida capa agitada pelo vento. A seu lado, Tronk, embrulhado num enorme capote, nem parecia um soldado.

— Diga-me uma coisa, Tronk — perguntou Giovanni, com fingido ar de preocupação. — É impressão minha ou esta noite a lua está maior do que de costume?

— Não creio, senhor tenente — disse Tronk. — Aqui no forte dá sempre essa impressão.

As vozes ressoaram fortemente, como se o ar fosse de vidro. Tronk, visto que o tenente não tinha outra coisa a lhe dizer, foi andando ao longo do parapeito do terraço, movido por sua perene necessidade de verificar o serviço.

Drogo ficou sozinho e sentiu-se praticamente feliz. Saboreava com orgulho sua decisão de ficar, o amargo gosto de abandonar as pequenas e certas alegrias por um grande bem a longo e incerto prazo (e talvez houvesse por trás disso o pensamento consolador de que estaria sempre em tempo de partir).

Um pressentimento — ou era apenas esperança? — de coisas nobres e grandes fizera-o permanecer ali, mas podia também ser apenas um adiamento, e nada, no fundo, ficava prejudicado. Ele tinha muito tempo à frente.

O bom da vida parecia estar à sua espera. Que necessidade havia de apressar-se? Também as mulheres, amáveis e estranhas criaturas, ele as antevia como uma felicidade certa, formalmente prometida pela ordem normal da vida.

Quanto tempo à frente! Muito longo parecia-lhe até mesmo um único ano, e os anos bons apenas haviam começado; pareciam formar uma série muito longa, da qual era impossível perceber o fim, um tesouro ainda intacto e tão grande, capaz até de enjoar.

Não havia ninguém que lhe dissesse: "Cuidado, Giovanni Drogo!" A vida parecia-lhe uma inesgotável, obstinada ilusão, embora a juventude já tivesse começado a perder o viço. Mas Drogo não conhecia o tempo. Ainda que tivesse diante de si uma mocidade de centenas e centenas de anos, como os deuses, isso também teria sido pouca coisa. E, em vez disso, ele dispunha de uma vida simples e normal, uma pequena juventude humana, avaro dom, que os dedos das mãos eram suficientes para contar e que se dissolveria antes de se dar a conhecer.

Quanto tempo à frente, pensava. Entretanto existiam homens — ouvira falar — que a uma certa altura (estranho de dizer) se punham a esperar a morte, essa coisa conhecida e absurda que não podia ter nada a ver com ele.

Drogo sorria, pensando nisso, e, ao mesmo tempo, solicitado pelo frio, pôs-se a caminhar.

As muralhas naquele ponto seguiam o declive do desfiladeiro, formando uma complicada escada de terraços e varandas. Embaixo dele, escuríssimas contra a neve, Drogo via, à luz do luar, as sucessivas sentinelas, seus passos metódicos fazendo cric-cric sobre a camada de gelo.

A mais próxima, num terraço abaixo, a uma dezena de metros, menos friorenta que as demais, permanecia imóvel, com as costas apoiadas a um muro, e parecia adormecida. Drogo ouviu-a cantarolar uma nênia com voz profunda.

Era uma sucessão de palavras (que Drogo não conseguia distinguir), ligadas entre si por uma ária monótona e sem fim. Falar e, pior, cantar em serviço era severamente proibido. Giovanni deveria puni-la, mas teve dó, pensando no frio e na solidão da noite. Começou então a descer uma curta escada que conduzia ao terraço e deu uma pequena tossida, para pôr de sobreaviso o soldado.

A sentinela virou a cabeça e, quando viu o oficial, retificou a posição, mas não interrompeu a nênia.

Drogo ficou enfurecido: aqueles soldados achavam que podiam zombar dele? Iam ver só a dureza que lhes imporia.

A sentinela percebeu logo a postura ameaçadora de Drogo e, apesar de a formalidade da senha, por antiquíssimo e mudo acordo, não ser praticada entre os soldados e o comandante da guarda, foi tomada de um excesso de escrúpulo. Sobraçando o fuzil, perguntou, com o sotaque muito particular usado no forte: "Quem vem lá? Quem vem lá?"

Drogo se deteve de repente, desorientado. A menos de cinco metros de distância, à luz límpida da lua, ele enxergava muito bem o rosto do militar, e sua boca estava fechada. Mas a nênia não tinha parado.

De onde vinha a voz, então?

Pensando nesse estranho fato, uma vez que o soldado continuava à espera, Giovanni disse mecanicamente a senha: "Milagre." "Miséria", respondeu a sentinela, e repôs a arma em posição de descanso.

Seguiu-se um silêncio imenso, no qual, mais forte que antes, navegava um sussurro de palavras e de canto.

Finalmente Drogo entendeu, e um lento arrepio percorreu-lhe a espinha. Era a água, era uma longínqua cascata rumorejante, a pique nos despenhadeiros próximos. O vento que fazia oscilar o longo jorro, o misterioso jogo dos ecos, o diferente som das pedras em percussão, formavam uma voz humana, que falava, falava: palavras de nossa vida, que se estava sempre prestes a entender, mas que na verdade nunca se entendia.

Não era então o soldado que cantarolava, não era um homem sensível ao frio, às punições e ao amor, mas a montanha hostil. "Que triste engano", pensou Drogo, "talvez tudo seja assim; acreditamos que ao redor haja criaturas semelhantes a nós e, ao contrário, só há gelo, pedras que falam uma língua estrangeira; preparamo-nos para cumprimentar o amigo, mas o braço recai inerte, o sorriso se apaga, porque percebemos que estamos completamente sós."

O vento bate contra a esplêndida capa do oficial e até a sombra azul sobre a neve se agita como bandeira. A sentinela está imóvel. A lua caminha, caminha lenta, mas sem perder um único instante, impaciente pela aurora. Toque-toque, pulsa o coração no peito de Giovanni Drogo.

XI

Quase dois anos depois, Giovanni Drogo dormia uma noite em seu quarto, no forte. Vinte e dois meses haviam passado sem trazer nada de novo, e ele permanecera firme, esperando, como se a vida devesse ter para com ele uma particular indulgência. Entretanto, 22 meses são longos, e podem acontecer muitas coisas: dá tempo para que se formem novas famílias, crianças nasçam e comecem até a falar, para que uma grande casa surja onde antes havia apenas um prado, para que uma mulher bonita envelheça e ninguém mais a deseje, para que uma doença, mesmo das mais demoradas, tome alento (enquanto isso o homem continua a viver despreocupado), consuma lentamente o corpo, desapareça para deixar lugar a breves aparências de cura, recomece mais fundo, sugando as últimas esperanças, sobre ainda tempo para que o morto seja sepultado e esquecido, para que o filho seja de novo capaz de rir e, à noite, leve moças ingênuas às alamedas, ao longo das grades do cemitério.

A existência de Drogo, ao contrário, tinha como que parado. Dias iguais, com as mesmas coisas de sempre, repetiam-se centenas de vezes sem dar um passo adiante. O rio do tempo passava sobre o forte, rachava os muros, arrastava para baixo poeira e fragmentos de pedra, limava os degraus e as correntes, mas sobre Drogo passava à toa; não conseguira enganchá-lo ainda em sua fuga.

Aquela noite também teria sido igual a todas as demais se Drogo não tivesse um sonho. Ele voltara a ser criança e encontrava-se, de noite, no parapeito de uma janela.

Além de uma profunda reentrância da casa, via a fachada de um palácio opulento, iluminado pela lua. E a atenção de Drogo menino era totalmente atraída por uma janela alta e estreita, coroada por um baldaquim de mármore. O luar, penetrando pelas vidraças, batia em uma mesa onde havia uma toalha, um vaso e algumas estatuetas de marfim. E esses poucos objetos visíveis levavam a imaginar que na escuridão, atrás, se abria a intimidade de um vasto salão, o primeiro de uma série interminável, cheio de objetos valiosos, e que o palácio inteiro estava adormecido, mergulhado naquele sono absoluto e provocante que as moradias de gente rica e feliz conhecem. "Que delícia", pensou Drogo, "poder viver nesses salões, perambular durante horas, descobrindo sempre novos tesouros!"

Entre a janela da qual se aproximara e o maravilhoso palácio — um espaço de uns vinte metros — começavam a flutuar frágeis aparições, semelhantes a fadas talvez, que arrastavam atrás de si caudas de véu, reluzentes ao luar.

No sonho, a presença de semelhantes criaturas, nunca vistas no mundo real, não espantava Giovanni. Elas ondeavam no ar em lentos vórtices, roçando, insistentes, a estreita janela.

Por sua natureza, pareciam lógicos pertences do palácio, mas o fato de não repararem absolutamente em Drogo, e de não se aproximarem de sua casa, o mortificava. Será que nem as fadas, então, gostavam das crianças comuns, cuidavam apenas da gente rica, que nem se dava ao trabalho de reparar nelas e dormia, indiferente, sob os baldaquins de seda?

"Psiu... psiu...", fez Drogo duas ou três vezes, timidamente, para atrair a atenção dos fantasmas, sabendo de antemão, porém, no íntimo, que seria inútil. Nenhum deles na verdade pareceu ouvir, nenhum se aproximou sequer um metro do seu parapeito.

Mas eis que uma daquelas mágicas criaturas agarra-se à borda da janela oposta com uma espécie de braço e bate na vidraça, discretamente, como para chamar alguém.

Não precisou muito tempo para que uma figura franzina, ah, como era pequena em comparação com a monumental janela, aparecesse atrás das vidraças, e Drogo reconheceu Angustina, ele também criança.

Angustina, com uma palidez impressionante, vestia uma roupa de veludo com gola de renda branca, e não parecia absolutamente satisfeito com aquela silenciosa serenata.

Drogo achou que o companheiro, nem que fosse só por cortesia, o convidaria para brincar com os fantasmas. Mas não foi o que aconteceu. Angustina não pareceu reparar no amigo, e nem mesmo quando Giovanni o chamou: "Angustina! Angustina!", volveu os olhos para ele.

Com um gesto cansado, o amigo abriu a janela e inclinou-se em direção ao espírito pendurado no parapeito, como se tivesse intimidade com ele e quisesse dizer-lhe algo. O espírito fez um sinal, e, acompanhando com o olhar a direção daquele gesto, Drogo deu com uma grande praça, absolutamente deserta, que se estendia diante das casas. Acima da praça, a uns dez metros do solo, avançava pelo ar um pequeno cortejo de outros espíritos arrastando uma liteira.

Feita aparentemente da mesma substância que eles, a liteira transbordava de véus e penachos. Angustina, com sua característica expressão de indiferença e enfado, olhava para ela; era evidente que vinha por sua causa.

A injustiça feria o coração de Drogo. Por que tudo para Angustina e nada para ele? Se fosse qualquer outro! Mas justamente Angustina, sempre tão soberbo e arrogante! Drogo olhou as outras janelas para ver se havia alguém que pudesse eventualmente intervir por ele, mas não conseguiu enxergar ninguém.

Finalmente a liteira se deteve, balançando bem na frente da janela, e todos os fantasmas, num salto, empoleiraram-se à sua volta, formando uma palpitante coroa; todos se debruçavam para Angustina, não propriamente obsequiosos, mas com uma curiosidade ávida e quase maligna. Abandonada a si mesma, a liteira sustinha-se no ar como que suspensa por fios invisíveis.

Imediatamente Drogo despiu-se de toda inveja, pois entendeu o que estava acontecendo. Via Angustina, em pé no parapeito da janela, e seus olhos fitavam a liteira. Sim, os mensageiros das fadas, naquela noite, tinham vindo por causa dele, mas para que tipo de encargo! Para uma longa viagem, então, devia servir a liteira, e não regressaria antes da aurora, nem mesmo na noite seguinte, nem na terceira noite, nem nunca. Os salões do palácio esperariam em vão pelo patrãozinho, duas mãos de mulher fechariam cautelosamente a janela deixada aberta pelo fugitivo e todas as outras seriam trancadas para aninhar no escuro o pranto e a desolação.

Os fantasmas, antes tão amáveis, não tinham vindo então para brincar com os raios de lua, não haviam saído, inocentes criaturas, de jardins perfumados, mas tinham vindo do abismo.

As outras crianças teriam chorado, chamado pela mãe; Angustina, ao contrário, não tinha medo, e confabulava tranquilamente com os espíritos, como para estabelecer certos procedimentos que era necessário esclarecer. Apertados em torno da janela, semelhantes a um panejamento de espuma, amontoavam-se uns sobre os outros, aconchegando-se ao menino, e ele fazia que sim com a cabeça, como a dizer: está bem, está bem, perfeitamente de acordo. Por fim, o espírito que primeiro se agarrara ao parapeito, talvez o chefe, fez um pequeno gesto imperioso. Angustina, com seu ar entediado de sempre, saltou do parapeito (parecia ter ficado tão leve quanto os fantasmas) e sentou-se na liteira, como um fidalgo, cruzando as pernas. O cacho de fantasmas dissolveu-se num ondeamento de véus, a carruagem encantada pôs-se suavemente em movimento para partir.

Formou-se um cortejo, as aparições empreenderam uma evolução semicircular na reentrância das casas, para dali subirem ao céu, rumo à lua. Ao descrever o semicírculo, a liteira passou a poucos metros da janela de Drogo, que, agitando os braços, tentou gritar: "Angustina! Angustina!", numa suprema despedida.

O amigo morto voltou então a cabeça em direção a Giovanni, fitando-o por alguns instantes, e pareceu a Drogo ver nele uma seriedade absolutamente excessiva para um menino tão novo. Mas o rosto de Angustina abria-se lentamente num sorriso de cumplicidade, como se Drogo e ele pudessem compreender muitas coisas desconhecidas para os fantasmas; uma vontade muito grande de brincar, a última ocasião para fazer ver que ele, Angustina, não precisava da piedade de ninguém: um episódio como outro qualquer, parecia dizer; seria bobagem ficar admirado.

Levado pela liteira, Angustina desviou os olhos de Drogo e virou a cabeça para a frente, na direção do cortejo, com uma espécie de curiosidade divertida e desconfiada. Parecia estar experimentando pela primeira vez um brinquedo de que não fazia nenhuma questão, mas que por conveniência não pudera recusar.

Assim afastou-se na noite, com nobreza quase inumana. Não olhou para o seu palácio, nem para a praça ali embaixo, sequer para as outras casas, ou para a cidade em que vivera.

O cortejo seguiu serpenteando lentamente no céu, cada vez mais alto, tornou-se uma confusa esteira, depois um minúsculo tufo de névoa e depois mais nada.

A janela permanecera aberta, os raios da lua ainda iluminavam a mesa, o vaso, as estatuetas de marfim, que continuavam a dormir. Lá dentro, num outro aposento, estirado na cama, à luz trêmula das velas, talvez estivesse deitado um pequeno corpo humano sem vida, cujo rosto se parecia com o de Angustina; e devia vestir um traje de veludo, uma grande gola de renda, com um sorriso gelado sobre os lábios brancos.

XII

No dia seguinte, Giovanni Drogo comandou a guarda ao Reduto Novo. Era um fortim isolado, a 45 minutos do forte, em cima de um cone de rocha que se erguia sobre a planície dos tártaros. Era a guarnição mais importante, completamente isolada, e devia dar o alarme, caso alguma ameaça se aproximasse.

Drogo saiu do forte à tarde, no comando de uns setenta homens: eram necessários tantos soldados porque os postos de guarda eram dez, sem contar duas canhoneiras. Era a primeira vez que ele punha os pés além da garganta, praticamente fora dos limites.

Giovanni ia pensando nas responsabilidades do serviço, mas acima de tudo meditava sobre o sonho com Angustina. Esse sonho deixara-lhe na alma uma ressonância obstinada. Parecia-lhe que deviam existir obscuras ligações com coisas futuras, embora ele não fosse particularmente supersticioso.

Entraram no Reduto Novo, procedeu-se à troca das sentinelas, em seguida a guarda que terminara o turno saiu, e da beira do terraço Drogo ficou a observá-la enquanto se afastava por entre as rochas. Dali o forte surgia como um muro longuíssimo, um simples muro sem nada por trás. Não se avistavam as sentinelas por estarem demasiado longe. Apenas a bandeira era visível, uma vez ou outra, quando agitada pelo vento.

Por 24 horas, no solitário reduto, o único comandante seria Drogo. O que quer que acontecesse, não se poderia pedir ajuda. Ainda que chegassem inimigos, o fortim devia bastar a si mesmo. O próprio rei, entre aqueles muros, durante 24 horas, valia menos que Drogo.

Esperando que chegasse a noite, Giovanni ficou olhando a planície setentrional. Do forte só pudera ver um pequeno triângulo, por causa das montanhas da frente. Agora, ao contrário, podia vê-la inteira, até os limites extremos do horizonte, onde estagnava a costumeira barreira de névoa. Era uma espécie de deserto, pavimentado de rochas, e aqui e ali manchas de baixas touceiras empoeiradas. À direita, bem no fundo, uma faixa escura que também podia ser uma floresta. Nas laterais, as ásperas cadeias das montanhas. Havia algumas muito bonitas, com intermináveis paredões a pique e o cume branco da primeira neve outonal. Entretanto, ninguém olhava para elas; todos, Drogo e os soldados, tendiam instintivamente a olhar para o norte, para a planície desolada, sem sentido e misteriosa.

Fosse a preocupação de estar completamente sozinho no comando do fortim, fosse a visão das desabitadas terras, fosse a lembrança do sonho com Angustina, Drogo sentia crescer à sua volta, com o dilatar-se da noite, uma surda inquietação.

Era uma tarde de outubro de tempo incerto, com manchas de luz avermelhada, disseminadas aqui e ali sobre a terra, refletidas não se sabe de onde e progressivamente engolidas pelo crepúsculo cor de chumbo.

Como de costume, ao pôr do sol penetrava na alma de Drogo uma espécie de animação poética. Era a hora das esperanças. E ele tornava a meditar sobre as heroicas fantasias, tantas vezes construídas nos longos turnos de guarda e a cada dia aperfeiçoadas com novos detalhes. Em geral pensava numa desesperada batalha travada por ele, com poucos homens, contra inúmeras forças inimigas; como se naquela noite o Reduto Novo fosse assediado por milhares de tártaros. Ele resistia por muitos dias, quase todos os companheiros haviam morrido ou estavam feridos; um projétil também o atingira, uma ferida grave, mas não muito, que lhe permitia ainda manter o comando. E eis que os cartuchos estão para terminar, ele tenta uma retirada à cabeça dos últimos homens, um curativo enfaixa-lhe a fronte; e então finalmente chegam os reforços, o inimigo debanda e põe-se em fuga, ele tomba, exausto, apertando o sabre ensanguentado. Alguém porém o chama: "Tenente Drogo, tenente Drogo", chama-o, sacode-o, para reanimá-lo. E ele, Drogo, abre lentamente os olhos: o rei, o rei em pessoa está inclinado sobre ele e o cumprimenta.

Era a hora das esperanças, e ele meditava sobre os heroicos feitos que provavelmente nunca se verificariam, mas que serviam para animar a vida. Algumas vezes contentava-se com muito menos, renunciava a ser ele o único herói, renunciava ao ferimento, renunciava até ao rei que o cumprimentava. No fundo teria bastado uma simples batalha, uma única batalha, mas de verdade, atacando em uniforme de gala e sendo capaz de sorrir ao precipitar-se em direção dos rostos herméticos dos inimigos. Uma batalha, e depois quem sabe teria ficado contente pelo resto da vida.

Naquela noite porém não era fácil sentir-se um herói. As sombras já tinham envolvido o mundo, a planície do norte perdera toda a cor, mas ainda não parecia adormecida, como se algo de ruim estivesse nascendo ali.

Já eram oito horas da noite, e o céu se enchera completamente de nuvens, quando pareceu a Drogo perceber na planície, um pouco à direita, bem embaixo do reduto, uma pequena mancha negra que se movia. "Devo estar com a vista cansada", pensou; "de tanto olhar estou com a vista cansada e enxergo manchas." Uma outra vez acontecera-lhe o mesmo, quando era menino e ficara acordado durante a noite para estudar.

Procurou manter fechadas, por um instante, as pálpebras, depois volveu os olhos aos objetos em redor; para um balde que devia ter servido para lavar o terraço, para um gancho de ferro no muro, para um banquinho que o oficial de serviço antes dele devia ter mandado subir para sentar-se. Somente após alguns minutos voltou a olhar para baixo, onde pouco antes lhe parecera ter visto a mancha escura. Ainda estava lá e se deslocava lentamente.

— Tronk! — chamou Drogo com voz agitada.

— Às ordens, senhor tenente — respondeu-lhe imediatamente uma voz tão próxima que o fez estremecer.

— Ah, você está aqui — disse e tomou fôlego. — Tronk, queria estar enganado, mas acho que... acho que estou vendo algo se mexendo ali embaixo.

— Sim, senhor — respondeu Tronk, com voz regulamentar. — Já faz alguns minutos que estou observando.

— Como? — disse Drogo. — Você também viu? O que está vendo?

— Aquela coisa que está se movendo, senhor tenente.

Drogo sentiu o sangue pulsar em suas veias. Chegou a hora, pensou, esquecendo completamente suas fantasias guerreiras, tinha de acontecer justo a mim, agora vai haver alguma encrenca.

— Ah, você também viu? — perguntou de novo, na absurda esperança de que o outro negasse.

— Sim, senhor — disse Tronk. — Há uns dez minutos. Fui lá embaixo para assistir à limpeza dos canhões, depois subi até aqui e vi.

— O que acha que é, Tronk?

— Não consigo entender, move-se muito devagar.

— Como muito devagar?

— Sim, achei que pudessem ser os penachos das canas.

— Penachos? Que penachos?

— Há um canavial lá no fundo — apontou à direita, mas era inútil, porque no escuro não se enxergava nada. — São plantas que nesta estação ficam com uns penachos pretos. Às vezes o vento os arranca, e, como são leves, saem voando, parecem pequenas nuvens... Mas não pode ser — acrescentou após uma pausa. — Eles se moveriam mais rápido.

— O que pode ser então?

— Não sei — disse Tronk. — Homens, seria estranho. Chegariam aqui por outro lado. E depois continua se mexendo, não dá para entender.

— Alarme! Alarme! — gritou naquele instante uma sentinela próxima, depois outra, depois outra ainda. Elas também haviam avistado a mancha escura.

Do interior do reduto acorreram imediatamente os outros soldados que estavam fora do turno. Amontoaram-se no parapeito, intrigados e com um pouco de medo.

— Não está vendo? — dizia um. — Mas claro, bem aqui embaixo. Agora parou.

— Vai ver é a neblina — dizia um outro. — A neblina às vezes tem buracos, e vê-se através deles aquilo que está por trás. Parece ser alguém em movimento, e em vez disso são os buracos na neblina.

— Sim, sim, agora estou vendo — ouvia-se dizer. — Mas sempre esteve ali, aquela coisa escura é uma pedra preta, é isso o que é.

— Que pedra o quê! Não vê que ainda está se mexendo? Está cego?

— Uma pedra, estou dizendo. Sempre a vi ali, uma pedra preta que parece uma freira.

Alguém riu.

— Fora, fora daqui, voltem logo para dentro — interveio Tronk, antecipando-se ao tenente, a quem todas aquelas vozes aumentavam a excitação. Os soldados voltaram para dentro a contragosto, e fez-se novamente silêncio.

— Tronk — chamou Drogo de repente, não sabendo decidir sozinho. — Você daria o alarme?

— O alarme ao forte, está dizendo? Quer dizer, disparar um tiro, senhor tenente?

— Sei lá, nem eu mesmo sei. Acha que devemos dar o alarme?

Tronk sacudiu a cabeça.

— Eu esperaria para ver melhor. Se dispararmos, o forte se porá em polvorosa. E se não for nada?

— É verdade — admitiu Drogo.

— Além disso — acrescentou Tronk —, seria contra o regulamento. O regulamento diz que se deve dar o alarme apenas em caso de ameaça, diz exatamente assim: "Em caso de ameaça, de aparecimento de destacamentos armados e em todos os casos em que pessoas suspeitas se aproximem a menos de cem metros do limite dos muros", assim diz o regulamento.

— Pois é — concordou Drogo —, e devem ser mais de cem metros, não é verdade?

— É o que acho — confirmou Tronk. — Mas como se pode saber se é uma pessoa?

— E o que é então, um espírito? — perguntou Drogo, vagamente irritado.

Tronk não respondeu.

Suspensos na noite interminável, Drogo e Tronk ficaram apoiados no parapeito, com os olhos fixos no fundo, lá onde começava a planície dos tártaros. A enigmática mancha parecia imóvel, como se estivesse dormindo, e pouco a pouco Giovanni recomeçava a pensar que na verdade não havia nada ali, apenas um rochedo escuro, semelhante a uma freira, e que seus olhos tinham se enganado, um pouco de cansaço, nada mais, uma tola alucinação. Agora sentia até uma sombra de opaca amargura, como quando as graves horas do destino passam ao nosso lado sem nos tocar e seu ruído se perde ao longe, enquanto continuamos solitários, entre redemoinhos de folhas secas, a sentir saudade da terrível mas grande ocasião perdida.

Depois, da escuridão do vale, no decorrer da noite, voltava o sopro do medo. No decorrer da noite, Drogo sentia-se pequeno e só, Tronk era muito diferente dele para poder servir-lhe de amigo. Ah, se tivesse os companheiros ao lado, um que fosse, então, sim, teria sido diferente, Drogo recobraria até a vontade de brincar, e esperar a aurora não lhe causaria sofrimento...

Línguas de neblina, no entanto, iam se formando na planície, pálido arquipélago no oceano negro. Uma delas estendeu-se bem aos pés do reduto, escondendo o objeto misterioso. O ar tornara-se úmido, das costas de Drogo a capa pendia frouxa e pesada.

Que noite longa! Drogo já perdera a esperança de que pudesse terminar, quando o céu começou a empalidecer e lufadas gélidas anunciaram que a manhã não estava distante. Foi então que pegou no sono. De pé, apoiado no parapeito do terraço, por duas vezes Drogo deixou tombar a cabeça, por duas vezes endireitou-a, sobressaltado, finalmente a cabeça abandonou-se inerte e as pálpebras cederam ao peso. Estava nascendo o novo dia.

Acordou porque alguém lhe tocara o braço. Reemergiu devagar dos sonhos, ofuscado pela luz. Uma voz, a voz de Tronk, dizia-lhe:

— Senhor tenente, é um cavalo.

Lembrou-se então da vida, do forte, do Reduto Novo, do enigma da mancha negra. Olhou logo para baixo, ávido por saber, desejando covardemente não ver nada além de pedras e touceiras, nada além da planície, do modo como sempre estivera, solitária e vazia.

A voz, ao contrário, repetia-lhe: "Senhor tenente, é um cavalo." E ele, Drogo, o viu, coisa inverossímil, parado aos pés do despenhadeiro. Era um cavalo, não grande, mas baixo e de bom tamanho, de curiosa beleza, pernas finas e crina fluente. Estranha era a sua forma, mas maravilhosa, sobretudo, a sua cor, uma cor preta, brilhante, que manchava a paisagem.

De onde viera? De quem era? Nenhuma criatura, há muitos e muitos anos — a não ser algum corvo ou cobra —, aventurava-se por aquelas plagas. Agora, ao contrário, aparecia um cavalo, e via-se logo que não era selvagem, mas um animal escolhido, um verdadeiro cavalo de militares (talvez somente as pernas fossem um pouco finas demais).

Era um acontecimento extraordinário, de significado inquietante. Drogo, Tronk, as sentinelas — e também os outros soldados através das vigias do andar inferior — não conseguiam despregar os olhos dele.

Aquele cavalo rompia a regra, trazia de volta as antigas lendas do Norte, com os tártaros e as batalhas, preenchia com sua ilógica presença o deserto inteiro.

Sozinho, o cavalo não significava muito, mas atrás dele sabia-se que deveriam chegar outras coisas. Ele estava com a sela em ordem, como se tivesse sido montado pouco tempo antes. Havia então uma história em suspenso, aquilo que até ontem era absurdo, ridícula superstição, podia então ser verdadeiro. Drogo tinha a impressão de ouvir os inimigos misteriosos, os tártaros emboscados nas touceiras, nas fendas das rochas, imóveis e quietos, com os dentes cerrados: esperando escurecer para atacar. E, nesse ínterim, outros vinham chegando, um formigueiro ameaçador que saía lento das névoas do norte. Eles não tinham músicas, nem canções, nada de espadas cintilantes, nada de belas bandeiras. Suas armas eram foscas para não cintilar ao sol, e os cavalos, treinados para não relinchar.

Mas um cavalinho — esse foi o pensamento imediato no Reduto Novo —, um cavalinho escapara aos inimigos e correra na frente, traindo-os. Provavelmente eles não haviam percebido, pois o animal fugira do acampamento durante a noite.

O cavalo trouxera assim uma mensagem valiosa. Mas de quanto tempo precedia os inimigos? Até a noite Drogo não poderia informar o comando do forte, e nesse meio-tempo os tártaros podiam chegar até eles.

Dar o alarme, então? Tronk dizia que não: no fundo, tratava-se de um simples cavalo, dizia; o fato de ter chegado aos pés do reduto podia significar que se achara isolado, talvez o dono fosse um caçador solitário que se metera imprudentemente no deserto, estava morto ou doente; o cavalo, ao se ver sozinho, fora buscar socorro, pressentira a presença do homem pelos lados do forte e agora esperava que lhe trouxessem a ração.

Era isso o que fazia duvidar seriamente que um exército estivesse se aproximando. Que motivo podia ter o animal para fugir de um acampamento num lugar tão inóspito? E depois, dizia Tronk, ouvira contar que os cavalos dos tártaros eram quase sempre brancos, até num velho quadro, pendurado numa sala do forte, viam-se os tártaros, todos montados em corcéis brancos, e este, ao contrário, era preto como carvão.

Por tudo isso, Drogo, após muito titubear, decidiu esperar a noite. Nesse ínterim, o céu havia clareado e o sol iluminou a paisagem, aquecendo o coração dos soldados. Também Giovanni se sentiu revigorar pela luz clara; as fantasias sobre os tártaros perderam consistência, tudo voltava às dimensões normais, o cavalo era um simples cavalo e para a sua presença era possível encontrar um bom número de explicações, sem recorrer a incursões inimigas. Então, esquecendo os medos noturnos, sentiu-se repentinamente disposto a qualquer aventura que fosse, e enchia-o de alegria o pressentimento de que o seu destino estava à porta, uma sorte feliz que o colocaria acima dos outros homens.

Sentiu prazer em atender pessoalmente às mínimas formalidades do serviço de guarda, como para demonstrar a Tronk e aos soldados que a aparição do cavalo, embora estranha e preocupante, não o perturbara em nada; e considerava isso muito militar.

Os soldados, para dizer a verdade, não sentiam nenhum receio; o cavalo fora levado na brincadeira, teriam gostado muito de poder capturá-lo e levá-lo ao forte como troféu. Um deles até pediu licença ao sargento-mor, que se limitou a um olhar de reprovação, como para dizer que não era lícito brincar com coisas do serviço.

No andar de baixo, ao contrário, onde estavam instalados dois canhões, um dos artilheiros ficou muito agitado ante a visão do cavalo. Chamava-se Giuseppe Lazzari, um rapazote havia pouco em serviço. Dizia que aquele cavalo era dele, reconhecia-o perfeitamente, não podia se enganar, deviam tê-lo deixado escapar quando os outros animais tinham saído do forte para o bebedouro.

— É Fiocco, o meu cavalo! — gritava, como se fosse realmente de sua propriedade e o tivessem roubado dele.

Tronk, descendo, fez logo parar os gritos e demonstrou secamente a Lazzari ser impossível que seu cavalo tivesse escapado: para passar ao vale do norte, deveria ter atravessado as muralhas do forte ou escalado as montanhas.

Lazzari respondeu que existia uma passagem — ouvira dizer —, uma cômoda passagem através dos despenhadeiros, uma velha estrada abandonada de que ninguém mais se lembrava. De fato, havia no forte, entre tantas, essa curiosa lenda. Mas devia ser invenção: nunca se encontrara pista alguma da passagem secreta. À direita e à esquerda do forte, por quilômetros e quilômetros, surgiam montanhas selvagens que nunca haviam sido transpostas.

Mas o soldado não se convenceu, e estremecia à ideia de ter que ficar fechado no reduto, sem poder retomar o cavalo, quando meia hora de caminho teria bastado para ir e voltar.

Enquanto isso, as horas passavam, o sol seguia sua viagem para o Ocidente, as sentinelas eram rendidas no momento apropriado, o deserto resplandecia, mais solitário que nunca, o cavalinho continuava no lugar de antes, quase sempre imóvel, como se dormisse, ou andava por ali procurando algum capim. Os olhos de Drogo perscrutavam a distância, mas não avistavam nada de novo, os mesmos paredões rochosos de sempre, as touceiras, as névoas do extremo setentrião que mudavam lentamente de cor à medida que a tarde avançava.

Chegou a nova guarda para fazer a troca. Drogo e seus soldados deixaram o reduto, seguiram por entre as rochas para voltar ao forte, entre as sombras violetas da tarde. Assim que chegaram junto às muralhas, Drogo disse a senha para si e para seus homens, a porta foi aberta, a guarda que deixava o serviço enfileirou-se numa espécie de pátio e Tronk começou a fazer a chamada. Enquanto isso, Drogo afastou-se para avisar o comando sobre o misterioso cavalo.

Como estava prescrito, Drogo apresentou-se ao capitão de inspeção, depois foram juntos procurar o coronel; habitualmente, para as novidades, bastava dirigir-se ao ajudante do coronel, mas dessa vez podia ser uma coisa grave e não convinha perder tempo.

Entretanto, a notícia correra como um raio por todo o forte. Alguns, nos extremos corpos de guarda, já murmuravam sobre esquadrões de tártaros acampados aos pés das rochas. O coronel, quando soube, disse apenas:

— Seria preciso tentar recolher esse cavalo; se tem sela, talvez seja possível saber de onde vem.

Mas então já era inútil, pois o soldado Giuseppe Lazzari, enquanto a guarda que deixava o serviço retornava ao forte, conseguira se esconder atrás de uma pedra, sem que ninguém percebesse, depois descera sozinho pelas rochas, aproximara-se do cavalinho e agora o reconduzia ao forte. Constatou com estupor que não era dele, mas já não havia nada mais a ser feito.

Apenas no momento de entrar no forte um companheiro percebera que ele havia desaparecido. Se Tronk viesse a saber, Lazzari ficaria preso pelo menos por dois meses. Era preciso salvá-lo. Por isso, quando o sargento-mor fez a chamada e chegou ao nome de Lazzari, alguém respondeu "presente" por ele.

Alguns minutos mais tarde, quando os soldados já haviam rompido as fileiras, lembraram que Lazzari não sabia a senha; não se tratava mais de prisão, mas da vida; se se apresentasse às muralhas, atirariam contra ele. Dois ou três companheiros puseram-se então à procura de Tronk, para que desse um jeito.

Tarde demais. Segurando o cavalo negro pelas rédeas, Lazzari já estava perto das muralhas. E no caminho de ronda estava Tronk, atraído lá para cima por um vago pressentimento; logo após ter feito a chamada, uma inquietação tomara conta do sargento-mor; ele não conseguia determinar sua causa, mas intuía que havia alguma coisa de errado. Passando em revista os acontecimentos do dia, chegara até o retorno ao forte sem encontrar nada de suspeito; depois tinha como que topado com um obstáculo; sim, na chamada devia ter havido alguma irregularidade, e na hora, como acontece frequentemente nesses casos, não dera por ela.

Uma sentinela estava de guarda justamente acima da porta de entrada. Na penumbra, viu no cascalho duas figuras escuras que avançavam. Estariam a uns duzentos metros. Não ligou, pensou ser uma alucinação; muitas vezes, nos lugares desertos, quem fica muito tempo à espera acaba por divisar, mesmo em pleno dia, vultos humanos esgueirando-se por entre as touceiras e as rochas, e tem a impressão de que alguém está espiando, depois vai ver e não há ninguém.

A sentinela, para se distrair, deu uma olhada em volta, acenou um cumprimento a um companheiro de sentinela a uns trinta metros mais à direita, ajeitou o pesado quepe que lhe apertava a testa, depois virou os olhos para a esquerda e viu o sargento-mor Tronk, imóvel, que o fitava severamente.

A sentinela endireitou-se, olhou de novo à sua frente, viu que as duas sombras não eram sonho, já se encontravam próximas, a uns setenta metros: exatamente um soldado e um cavalo. Então sobraçou o fuzil, preparou o cão para o disparo, enrijeceu-se no gesto repetido centenas de vezes durante a instrução. Depois gritou:

— Quem vem lá, quem vem lá?

Lazzari era soldado novo, não pensava nem de longe que sem a senha seria impossível entrar. No máximo, temia uma punição por ter-se afastado sem permissão; mas, quem sabe, talvez o coronel o perdoasse por causa do cavalo recuperado; era um animal belíssimo, um cavalo de general.

Faltavam apenas uns quarenta metros. As ferraduras do quadrúpede ressoavam sobre as pedras, era quase noite fechada, ouviu-se um longínquo som de clarim.

— Quem vem lá, quem vem lá? — repetiu a sentinela. Uma vez mais e depois deveria disparar.

Um repentino mal-estar tomara conta de Lazzari ao primeiro aviso da sentinela. Parecia-lhe muito estranho, agora que se encontrava pessoalmente envolvido, sentir-se interpelado daquele modo por um companheiro, mas tranquilizou-se ao segundo "quem vem lá", pois reconheceu a voz de um amigo, da mesma companhia, a quem eles chamavam Moretto.

— Sou eu, Lazzari! — gritou. — Mande o chefe do posto de guarda abrir! Peguei o cavalo! E não faça estardalhaço senão me metem atrás das grades!

A sentinela não se mexeu. Com o fuzil preparado, permanecia parada, tentando retardar ao máximo o terceiro "quem vem lá". Talvez Lazzari percebesse sozinho o perigo e voltasse atrás; poderia, quem sabe, agregar-se no dia seguinte à guarda do Reduto Novo. Mas a poucos metros estava Tronk, que o fitava severamente.

Tronk não dizia nada. Ora olhava para a sentinela, ora para Lazzari, por culpa de quem provavelmente seria punido. O que queriam dizer seus olhares?

O soldado e o cavalo não estavam a mais de trinta metros, esperar mais teria sido imprudente. Quanto mais perto Lazzari chegasse, tanto mais facilmente seria acertado.

— Quem vem lá, quem vem lá? — gritou pela terceira vez a sentinela, e na voz estava subentendida como que uma advertência pessoal e antirregulamentar. Queria dizer: volte atrás enquanto é tempo, quer morrer?

E finalmente Lazzari entendeu, lembrou num lampejo as duras leis do forte, sentiu-se perdido.

Mas em vez de fugir, sabe-se lá por quê, largou as rédeas do cavalo e adiantou-se sozinho, invocando com voz aguda:

— Sou eu, Lazzari! Não está vendo? Moretto, ô Moretto! Sou eu! Mas o que está fazendo com o fuzil? Ficou louco, Moretto?

Mas a sentinela não era mais Moretto, era simplesmente um soldado com as feições endurecidas que agora erguia lentamente o fuzil, fazendo pontaria contra o amigo. Apoiou a espingarda no ombro e olhou de soslaio para o sargento-mor, invocando silenciosamente um sinal para suspender. Tronk, ao contrário, continuava imóvel e o fitava severamente.

Lazzari, sem se virar, retrocedeu alguns passos, tropeçando nas pedras.

— Sou eu, Lazzari! — gritava. — Não está vendo que sou eu? Não atire, Moretto!

Mas a sentinela não era mais o Moretto com quem todos os colegas brincavam à vontade, era apenas uma sentinela do forte, em uniforme de pano azul-escuro com a bandeirola de couro curtido, absolutamente idêntica a todas as demais à noite, uma sentinela qualquer que fez pontaria e agora apertava o gatilho. Sentia nos ouvidos um trovão, e pareceu-lhe ouvir a voz rouca de Tronk: "Mire no alvo!", embora Tronk não tivesse aberto a boca.

O fuzil soltou um breve clarão, uma minúscula nuvem de fumaça, e mesmo o tiro, num primeiro momento, não pareceu grande coisa, mas em seguida foi multiplicado pelos ecos, repercutindo de muralha em muralha, ficou longamente no ar, indo morrer num murmúrio distante como de trovão.

Agora que o dever fora cumprido, a sentinela pôs o fuzil no chão, debruçou-se no parapeito, olhou para baixo, esperando não ter acertado. E no escuro parecia-lhe de fato que Lazzari não havia caído.

Não, Lazzari estava ainda de pé, e o cavalo se aproximara dele. Depois, no silêncio deixado pelo tiro, ouviu-se a sua voz, num tom desesperado:

— Ô Moretto, você me matou!

Dito isso, Lazzari desabou lentamente para a frente. Tronk, com o rosto impenetrável, ainda não se movera, enquanto um frêmito guerreiro se propagava pelos meandros do forte.

XIII

Começou assim aquela noite memorável, açoitada pelos ventos, entre balanços de lanternas, insólitos clarins, passos nos passadiços, nuvens que desciam precipitadamente do norte, enroscavam-se nos cumes rochosos pespegando-lhes flocos, mas não tinham tempo de se deter, pois algo de muito importante chamava por elas.

Bastara um disparo, um simples tiro de fuzil, e o forte despertara. Durante anos estivera em silêncio — e eles sempre atentos ao norte para ouvir a voz de guerra chegando —, silêncio demasiado longo. Agora um fuzil havia disparado com sua carga de pólvora prescrita e a bala de chumbo de 32 gramas — e os homens olhavam uns para os outros como se fosse aquele o sinal.

Decerto também nessa noite ninguém, exceto alguns soldados, pronunciaria o nome que estava no coração de todos. Os oficiais preferem silenciá-lo, pois justamente nele reside a sua esperança. Pelos tártaros levantaram as muralhas do forte, consomem ali grande parte da vida, pelos tártaros as sentinelas caminham noite e dia como autômatos. E há quem alimente essa esperança a cada manhã de nova fé, quem a conserve no fundo de si, quem não saiba sequer que a possui, acreditando tê-la perdido. Mas ninguém tem coragem de falar sobre ela; pareceria de mau agouro, sobretudo pareceria estar confessando os próprios pensamentos mais íntimos, e os soldados têm vergonha disso.

Por ora há apenas um soldado morto e um cavalo de procedência ignorada. No corpo de guarda junto à porta que dá para o norte, onde ocorreu a desgraça, há uma grande efervescência, e, embora não seja regulamentar, também se encontra Tronk, que não tem sossego, pensando na punição que o espera; a responsabilidade recai sobre ele, devia ter impedido Lazzari de fugir, devia ter percebido, na volta, que o soldado não respondera à chamada.

Pois agora aparece até o major Matti, ansioso por demonstrar a própria autoridade e competência. Está com uma cara estranha que não se entende, pode até dar a impressão de que sorri. Sem dúvida, está perfeitamente a par de tudo, e ao tenente Mentana, de serviço naquele reduto, dá a ordem de mandar recolher o cadáver do soldado.

Mentana é um oficial apagado, o mais antigo tenente do forte; se não tivesse um anel com um enorme brilhante e não jogasse bem xadrez, ninguém perceberia a sua existência; enorme é a pedra preciosa em seu anular e poucos são os que conseguem derrotá-lo no xadrez, mas diante do major Matti ele treme literalmente e perde a cabeça com uma coisa tão simples como mandar uma maca para um morto.

Para sua sorte, o major Matti enxergou, em pé num canto, o sargento-mor Tronk e o chamou:

— Tronk, já que você não tem nada a fazer aqui, assuma o comando da expedição!

Disse assim com a maior naturalidade, como se Tronk fosse um suboficial qualquer, sem nenhuma relação pessoal com o incidente; pois Matti não é capaz de fazer uma reprovação direta, acaba ficando branco de raiva e não encontra as palavras; prefere a arma bem mais dura das investigações, com fleugmáticos interrogatórios, documentações escritas, que conseguem aumentar monstruosamente as mais leves faltas e levam quase sempre a punições de vulto.

Tronk não pestaneja, responde "sim, senhor" e se apressa no pátio, logo atrás do portão. Um pequeno grupo, à luz de lanternas, sai pouco depois do forte: Tronk à frente, em seguida quatro soldados com uma maca, mais quatro soldados armados por precaução, por último o próprio major Matti, envolto numa capa desbotada, arrastando o sabre nas pedras.

Encontraram Lazzari assim como morreu, com a cara no chão e os braços estendidos para a frente. O fuzil usado a tiracolo prendeu-se, na queda, entre duas pedras e está reto, em pé, com a coronha para cima, coisa estranha de ver. O soldado, quando caiu, feriu uma das mãos, e, antes que seu corpo esfriasse, deu tempo de correr sangue, formando uma mancha numa pedra branca. O cavalo misterioso desapareceu.

Tronk inclina-se sobre o morto e quer segurá-lo pelos ombros, mas se afasta bruscamente para trás, como se tivesse percebido que estaria contrariando as regras.

— Puxem-no — ordena aos soldados, em voz baixa e má. — Mas antes tirem-lhe o fuzil.

Um soldado abaixa-se para desatar o cinto e coloca a lanterna sobre as pedras, bem perto do morto. Lazzari não teve tempo de fechar completamente as pálpebras, e na fenda dos olhos, no branco, a chama deixa um breve reflexo.

— Tronk — chama então o major Matti, que permanecera completamente à sombra.

— Às ordens, senhor major — responde Tronk em posição de sentido; também os soldados param.

— Onde aconteceu? Para onde escapou? — pergunta o major, arrastando as palavras como se falasse devido a uma curiosidade aborrecida. — Foi na fonte? Onde existem aqueles rochedos?

— Sim, senhor, nos rochedos — responde Tronk, e não acrescenta mais nada.

— E ninguém o viu fugir?

— Ninguém, senhor — diz Tronk.

— Na fonte, hein? E estava escuro?

— Sim, senhor, bastante escuro.

Tronk aguarda alguns instantes em posição de sentido; em seguida, uma vez que Matti se cala, faz sinal aos soldados para continuarem. Um tenta desatar a cinta do fuzil, mas o fecho é duro e resiste. Puxando, o soldado sente o peso do corpo morto, um peso desproporcional, como que de chumbo.

Tirado o fuzil, os dois soldados viram delicadamente o cadáver, pondo-o de barriga para cima. Agora pode-se ver completamente o seu rosto. A boca está fechada e inexpressiva, apenas os olhos semiabertos e imóveis, resistindo à luz da lanterna, sabem a morte.

— Na frente? — pergunta a voz de Matti, que subitamente percebeu uma espécie de pequena cavidade, bem acima do nariz.

— Como? — diz Tronk, sem entender.

— Digo: foi ferido na testa? — diz Matti, aborrecido por ter de repetir.

Tronk ergue a lanterna, ilumina em cheio o rosto de Lazzari, vê também a pequena cavidade e instintivamente aproxima um dedo como para tocá-la. Porém logo o retrai, perturbado.

— Acho que sim, senhor major, bem aqui, no meio da testa. — (Mas por que não vem ele mesmo ver o morto, se lhe interessa tanto? Por que todas essas perguntas idiotas?)

Os soldados, percebendo o embaraço de Tronk, cuidam do próprio trabalho: dois levantam o cadáver pelos ombros, dois pelas pernas. A cabeça, abandonada a si mesma, tomba para trás, horrivelmente. A boca, embora gelada pela morte, quase torna a se abrir.

— E quem atirou? — pergunta ainda Matti, sempre imóvel, no escuro.

Mas dessa vez Tronk não lhe dá atenção. Tronk dá atenção só ao morto.

— Mantenham sua cabeça levantada — ordena com profunda raiva, como se o morto fosse ele. Depois percebe que Matti falou, para ainda em posição de sentido. — Desculpe, senhor major, estava...

— Eu disse — repete o major Matti, e esconde as palavras, dando a entender que se não perde a paciência é por respeito ao morto —, eu disse: quem atirou?

— Como se chama, vocês sabem? — pergunta Tronk, em voz baixa, aos soldados.

— Martelli — diz alguém. — Giovanni Martelli.

— Giovanni Martelli — responde Tronk, em voz alta.

— Martelli — repete a si próprio o major. (Aquele nome não lhe é estranho, deve ser um dos premiados na competição de tiro. A escola de tiro é dirigida pelo próprio Matti, e ele lembra os nomes dos melhores.)

— É talvez aquele a quem chamam de Moretto?

— Sim, senhor — respondeu Tronk, imóvel, em posição de sentido —, acho que o chamam de Moretto. Sabe, senhor major, entre companheiros...

Diz assim como para desculpá-lo, como para demonstrar que Martelli não tem nenhuma responsabilidade nisso, que se o chamam de Moretto não é culpa sua e que não há realmente motivo para puni-lo.

Mas o major não pensa em puni-lo, isso sequer lhe passa pela cabeça.

— Ah, Moretto! — exclama, sem esconder uma certa satisfação.

O sargento-mor fita-o com olhos duros e compreende. "Mas claro, claro", pensa, "dê-lhe um prêmio, seu verme, porque matou direitinho. Bem na mosca, não é?"

Bem na mosca, certamente. É sobre isso que Matti está refletindo (e pensar que quando Moretto atirou já estava escuro... Em plena forma, todos os seus atiradores). Nesse instante, Tronk o odeia. "Mas claro, claro, diga alto que está contente", pensa; "se Lazzari morreu, o que lhe importa isso? Cumprimente o seu Moretto, faça-lhe um elogio solene!"

É isso mesmo: o major, absolutamente tranquilo, gaba-se em voz alta:

— Ah, claro, Moretto não erra! — exclama, como a dizer: esperto, Lazzari achava que Moretto não iria acertar a pontaria, achava que ia se safar disso, e assim ficou sabendo que espécie de atirador Moretto era. E Tronk? Também ele talvez esperasse que Moretto errasse (tudo então seria consertado com alguns dias de detenção). — Ah, claro, claro! — repete ainda o major, esquecendo por completo que ali à frente há um morto. — Um atirador de elite!

Finalmente, porém, ele se cala, e o sargento-mor vira-se para olhar como acomodaram o cadáver na maca. Já foi deitado convenientemente, sobre o rosto jogaram-lhe uma coberta de campanha, nuas somente as mãos, duas grandes mãos de camponês, que parecem ainda vermelhas de vida e de sangue quente.

Tronk faz um sinal com a cabeça. Os soldados erguem a maca.

— Podemos ir, senhor major? — perguntam.

— E querem esperar por quem? — responde Matti com dureza; agora, com sincero estupor, sentiu o ódio de Tronk e quer devolvê-lo multiplicado, com seu desprezo de superior.

— À frente — ordena Tronk. "À frente, marche", deveria ter dito, mas parece-lhe quase uma profanação. Só agora ele via as muralhas do forte, a sentinela no beiral, vagamente iluminada pelos reflexos das lanternas. Atrás daqueles muros, num dormitório, fica a cama de campanha de Lazzari, sua caixinha com as coisas de casa: uma imagem santa, duas espigas de milho, um isqueiro de pedra, lenços coloridos, quatro botões de prata para a roupa de gala, que tinham sido do avô e que no forte nunca tiveram serventia.

O travesseiro tem ainda a marca de sua cabeça, exatamente como há dois dias, quando ele acordara. E há talvez um vidrinho de tinta — acrescenta mentalmente Tronk, meticuloso também nos pensamentos solitários —, um vidrinho de tinta e uma caneta. Tudo isso será colocado num pequeno pacote e enviado à sua casa, com uma carta do senhor coronel. As outras coisas, fornecidas pelo governo, passarão naturalmente a um outro soldado, inclusive a muda de camisa. O belo uniforme não, nem o fuzil: o fuzil e o uniforme serão enterrados com ele, pois essa é a antiga regra do forte.

XIV

E no começo da manhã viram, pelo Reduto Novo, na planície setentrional, uma pequena faixa negra. Um sinal fino que se movia, e não podia ser alucinação. Viu-a antes de todos a sentinela Andronico, depois a sentinela Pietri, depois o sargento Batta, que de início pusera-se a rir, depois também o tenente Maderna, comandante do reduto.

Uma pequena faixa negra avançava do Norte, através da terra desabitada, e pareceu um prodígio absurdo, embora já desde a noite certo pressentimento rondasse o forte. Por volta das seis horas a sentinela Andronico foi a primeira a dar o grito de alarme. Algo se aproximava vindo do Norte, como nunca acontecera antes, pelo menos ninguém tinha lembrança disso. Depois que a luz aumentou, sobre o fundo branco do deserto destacou-se, nítida, a fileira de homens que avançava.

Alguns minutos após, como fazia a cada manhã desde um tempo imemorial (um dia fora pura esperança, depois apenas escrúpulo, agora quase unicamente hábito), o chefe dos alfaiates, Prosdocimo, subiu para dar uma olhada no telhado do forte. Nos postos de guarda, deixavam-no passar por tradição, ele se aproximava do caminho de ronda, tagarelava com o sargento, depois descia de novo para o subterrâneo.

Aproximou-se naquela manhã, dirigindo os olhos para o triângulo visível de deserto, e acreditou estar morto. Não pensou que pudesse ser um sonho. No sonho sempre há algo de absurdo e confuso, nunca se fica livre da vaga sensação de que tudo é falso, de que, num repente, teremos de acordar. No sonho, as coisas nunca são límpidas e materiais como aquela desolada planície sobre a qual avançavam fileiras de homens desconhecidos.

Mas era coisa tão estranha, tão idêntica a certos devaneios seus de quando era moço, que Prosdocimo sequer pensou que pudesse ser verdade e acreditou estar morto.

Acreditou estar morto e que Deus o perdoara. Pensou estar no mundo do além, aparentemente idêntico ao nosso, só que lá as boas coisas se realizam segundo os desejos justos, e, após estes terem sido satisfeitos, fica-se com o ânimo sereno, não como aqui, onde há sempre alguma coisa que envenena até os melhores dias.

Prosdocimo acreditou estar morto, e não se movia, supondo que não lhe cabia mais mexer-se, como defunto, mas que uma secreta intervenção o sacudiria. Em vez disso, foi um sargento-mor que respeitosamente lhe tocou o braço: "Sargento", disse-lhe. "O que foi? Não se sente bem?" Só então Prosdocimo começou a compreender.

Quase como nos sonhos, porém melhor, descia do reino do Norte uma gente misteriosa. O tempo passava rapidamente, as pálpebras nem chegavam mais a piscar, fitando a insólita imagem, o sol já brilhava sobre a borda vermelha do horizonte, pouco a pouco os estrangeiros se tornavam mais próximos, ainda que com imensa lentidão. Alguém dizia que estavam a pé e a cavalo, que avançavam em fila indiana, que havia até uma bandeira. Assim dizia alguém, e os outros também se iludiam de ver, todos metiam na cabeça que estavam vendo infantes e cavaleiros, o pano de um estandarte, a fila indiana, embora, na realidade, distinguissem apenas uma fina faixa negra que se movia lentamente.

— Os tártaros — atreveu-se a dizer a sentinela Andronico, como por uma brincadeira ousada, com seu rosto branco como a morte. Meia hora depois, o tenente Maderna, no Reduto Novo, ordenou um tiro de canhão, tiro de advertência, como estava prescrito no caso em que vissem se aproximar destacamentos estrangeiros armados.

Há muitos anos não se ouviam canhões. Os muros sofreram um pequeno tremor. O tiro ampliou-se num lento estrondo, funesto som de ruína entre os despenhadeiros. E os olhos do tenente Maderna voltaram-se para o perfil achatado do forte, esperando ver nele sinais de agitação. O tiro de canhão, ao contrário, não provocou assombro, pois os estrangeiros avançavam justamente naquele triângulo de planície visível do forte central, e todos já estavam informados. Até ao cunículo mais periférico, onde os bastiões à esquerda terminavam contra as rochas, até no plantão feito pela guarda no armazém subterrâneo das lanternas e dos instrumentos de construção, a ele que não podia ver nada, fechado no escuro porão, chegara a notícia. E queria que o tempo corresse, que seu turno terminasse, para ir ele também ao caminho de ronda a fim de dar uma olhada.

Tudo continuava como antes, as sentinelas permaneciam em seus postos, andando para cima e para baixo no espaço prescrito, os escrivães copiavam os relatórios, fazendo ranger as canetas e molhando-as no tinteiro com o ritmo habitual, mas do Norte chegavam homens desconhecidos, sendo viável presumi-los inimigos. Nas escuderias, os homens almofaçavam as cavalgaduras, a chaminé das cozinhas fumegava fleumaticamente, três soldados varriam o pátio, mas já pairava um sentimento agudo e solene, uma imensa suspensão de ânimos, como se a grande hora tivesse chegado e nada mais pudesse detê-la.

Oficiais e soldados respiraram profundamente o ar da manhã para sentir dentro de si a nova vida. Os artilheiros puseram-se a preparar os canhões, brincando entre si e lidando com eles como se estivessem tratando com animais que precisavam ser amansados, e olhavam para eles com uma certa apreensão: talvez, após tanto tempo, as peças não fossem mais capazes de disparar, talvez no passado a limpeza não tivesse sido feita com o cuidado suficiente, era preciso remediar, num certo sentido, porque dentro em pouco tudo seria decidido. E nunca os estafetas tinham corrido tão velozes pelas escadas, nunca os uniformes estiveram tão em ordem, as baionetas tão reluzentes, os toques de clarim tão militares. Não se tinha, portanto, esperado em vão, os anos não haviam sido desperdiçados, o velho forte, afinal, serviria para alguma coisa.

Esperava-se agora um toque especial de clarim, o sinal de "grande alarme" que os soldados nunca haviam tido ocasião de ouvir. Em seus treinamentos, feitos fora do forte, num vale isolado — para que o som não atingisse o forte e não surgissem mal-entendidos —, os corneteiros, durante as plácidas tardes de verão, haviam ensaiado o famoso sinal, mais por excesso de zelo que por outra coisa (ninguém, decerto, pensava que poderia ser útil). Agora arrependiam-se de não terem estudado o suficiente; era um longuíssimo arpejo e subia a um extremo agudo, havendo talvez alguma dissonância.

Somente o comandante do forte poderia ordenar o sinal, e todos pensavam nele: os soldados já o esperavam para que viesse inspecionar as muralhas de uma ponta à outra, já o viam avançar com um sorriso altivo, fitando todos bem nos olhos. Devia ser para ele um grande dia, pois acaso não gastara sua vida esperando por essa ocasião?

O senhor coronel Filimore estava em seu gabinete, e pela janela olhava, para o norte, o pequeno triângulo de deserta planície que os despenhadeiros não ocultavam, vendo uma faixa de pontinhos pretos que se moviam como formigas, justamente em sua direção, na do forte, e pareciam realmente soldados.

De vez em quando entrava algum oficial, ou o tenente-coronel Nicolosi, ou o capitão de inspeção, ou oficiais de serviço. Entravam sob vários pretextos, na impaciente espera de suas ordens, anunciando-lhe novidades insignificantes: que da cidade chegara um novo carregamento de víveres, que se iniciavam naquela manhã os trabalhos de reparo no forno, que chegara a época de saída para uma dezena de soldados, que no terraço do forte central fora preparada a luneta, para o caso de o senhor coronel querer usá-la.

Transmitiam essas notícias, saudavam batendo os saltos e não entendiam por que o coronel ficava ali, mudo, sem dar as ordens que todos esperavam como certas. Não mandara ainda reforçar as guardas, nem redobrar as cotas individuais de munição, nem havia decidido nada quanto ao sinal de "grande alarme".

Como que por misteriosa atonia, ele observava friamente a chegada dos estrangeiros, nem triste nem contente, como se tudo aquilo não lhe dissesse respeito.

No mais, era um esplêndido dia de outubro, o sol límpido, o ar leve, o tempo mais desejável para uma batalha. O vento agitava a bandeira hasteada no telhado do forte, a terra amarela do pátio brilhava, e os soldados, ao atravessá-lo, deixavam ali nítidas sombras. Uma bela manhã, senhor coronel.

Mas o comandante dava claramente a entender que preferia permanecer sozinho e, quando não havia mais ninguém no gabinete, ia da escrivaninha à janela, da janela à escrivaninha, sem saber decidir-se, cofiava sem motivo os bigodes grisalhos, soltava longos suspiros exclusivamente físicos, como é próprio dos velhos.

Já não mais se percebia a tira negra dos estrangeiros no pequeno triângulo de planície visível pela janela, sinal de que eles estavam chegando, cada vez mais próximos da fronteira. Em três ou quatro horas, talvez, estariam aos pés das montanhas.

Mas o senhor coronel continuava a limpar com o lenço, sem motivo, as lentes de seus óculos, folheava os relatórios empilhados sobre a mesa: a ordem do dia para assinar, um pedido de licença, o boletim diário do oficial médico, uma autorização para descarregar objetos de selaria.

O que está esperando, senhor coronel? O sol já está alto, até o major Matti, entrando há pouco, não escondia uma certa apreensão, até ele, que nunca acredita em nada. Deixe-se ao menos ver pelas sentinelas, numa breve volta pelas muralhas. Os estrangeiros, disse o capitão Forze, que foi inspecionar o Reduto Novo, são visíveis um por um, já se distinguem agora, e vê-se que estão armados, trazem fuzis nos ombros, não há tempo a perder.

Filimore, ao contrário, quer esperar. Aqueles estrangeiros são soldados, ele não nega, mas quantos serão? Alguém falou em duzentos, outro, em 250; além disso, deixaram patente que, se aquela é a vanguarda, o grosso será de no mínimo dois mil homens. Mas o grosso ainda não foi visto, pode ser que nem exista.

O grosso do exército ainda não foi visto, senhor coronel, somente por causa das névoas do norte. Essa manhã elas estão muito adiantadas, a tramontana impeliu-as para baixo, de modo que cobrem uma vasta zona da planície. Aqueles duzentos homens não teriam sentido, se atrás deles não viesse um forte exército; antes do meio-dia terão de aparecer também os outros. Há uma sentinela, aliás, que diz ter visto, há pouco, algo mover-se nos limites das névoas.

Mas o comandante vai e vem da janela à escrivaninha e vice-versa, folheia apaticamente os relatórios. "Por que os estrangeiros deveriam assaltar o forte?", pensa. Talvez sejam manobras normais para experimentar as dificuldades do deserto. O tempo dos tártaros já se foi, eles não passam de uma lenda remota. E quem mais teria interesse em forçar a fronteira? Há nessa história toda alguma coisa que não convence.

Não serão os tártaros, senhor coronel, mas são soldados, com certeza. Há vários anos existem profundos rancores no reino do Norte, não é mistério para ninguém, mais de uma vez falou-se em guerra. São soldados, com certeza. Estão a cavalo e a pé, provavelmente logo chegarão também os artilheiros. Antes do anoitecer, sem exagero, teriam tempo suficiente para atacar, e as muralhas do forte são velhas, velhos são os fuzis, velhos, os canhões, tudo absolutamente ultrapassado, menos o coração dos soldados. Não confie demais, senhor coronel.

Confiar! Ah, ele bem que gostaria de não poder confiar, por isso gastou a vida, restam-lhe ainda poucos anos, e, se esta não for a vez propícia, tudo estará talvez exaurido! Não é o medo o que o retarda, não é o pensamento de poder morrer. Isso sequer lhe passa pela cabeça.

O fato é que, no fim da vida, Filimore via repentinamente chegar a sorte com a armadura de prata e a espada tingida de sangue; ele (que quase já não pensava mais nisso) a via aproximar-se estranhamente, com rosto amigo. E Filimore, esta é a verdade, não ousava mover-se em sua direção e responder ao seu sorriso, enganara-se muitas vezes, agora basta.

Os outros, os oficiais do forte, tinham-lhe logo acorrido ao encontro, fazendo-lhe festa. À diferença dele, tinham ido adiante e antegozavam, como se já o tivessem provado antes, o acre e poderoso odor da batalha. Ao contrário, o coronel esperava. Até que a bela aparição não o tivesse tocado com as mãos, ele não se moveria, como que por superstição. Talvez bastasse uma ninharia, um simples gesto de saudação, uma admissão de desejo, para que a imagem se dissolvesse no nada.

Por isso ele se limitava a balançar a cabeça, fazendo sinal que não, que a sorte devia estar enganada. E, incrédulo, olhava à sua volta, atrás de si, onde era presumível estarem outras pessoas, aquelas que a sorte realmente procurava. Entretanto não via mais ninguém, não podia haver um erro de pessoa, devia convir que justamente a ele estivesse destinada a invejável sorte.

Houvera um momento, às primeiras luzes da aurora, quando na brancura do deserto lhe aparecera a misteriosa tira negra, um momento em que seu coração ofegara de alegria. Depois, a imagem encouraçada de prata e com a espada ensanguentada fora tornando-se um tanto mais vaga, e caminhava em direção a ele, mas na realidade não conseguia mais se aproximar, encurtar a breve e no entanto infinita distância.

A razão é que Filimore já esperara demais, e a uma certa idade esperar dá muito trabalho, não se reencontra mais a fé de quando se tinha vinte anos. Esperara em vão, durante tempo demasiado, seus olhos leram demasiadas ordens do dia, por muitas manhãs seus olhos viram aquela maldita planície sempre deserta.

E agora que apareceram os estrangeiros, ele tem a nítida impressão de que deve haver um engano (bonito demais para ser verdade), deve haver por trás disso tudo um colossal engano.

Enquanto isso, o pêndulo diante da escrivaninha continuava a moer a vida, e os dedos magros do coronel, afilados pelos anos, teimavam em limpar, com o auxílio do lenço, as lentes dos óculos, ainda que isso não fosse necessário.

Os ponteiros do relógio se aproximavam das dez e meia, e então entrou na sala o major Matti, para lembrar ao comandante que havia o relatório dos oficiais. Filimore havia se esquecido e ficou desagradavelmente surpreso: cabia-lhe falar dos estrangeiros na planície, não poderia mais adiar a decisão, deveria defini-los oficialmente como inimigos, ou brincar com isso, ou manter uma atitude intermediária, ordenar medidas de segurança e ao mesmo tempo mostrar-se cético, como se não houvesse motivo para se iludir. Mas uma decisão devia ser tomada, e isso lhe desagradava. Ele teria preferido continuar à espera, permanecer absolutamente imóvel, como que provocando o destino para que este se desencadeasse de uma vez.

O major Matti disse-lhe com um de seus sorrisos ambíguos:

— Parece que desta vez é para valer!

O coronel Filimore não respondeu. O major disse:

— Veem-se chegar outros, agora. São três fileiras, podem ser vistas também daqui.

O coronel fitou-o nos olhos e chegou, por um momento, quase a querer-lhe bem.

— Estão chegando mais, o senhor diz?

— Até daqui são visíveis, senhor coronel, já são muitos agora.

Foram à janela e, no triângulo visível da planície setentrional, viram novas pequenas tiras negras em movimento; não mais uma, como ao amanhecer, mas três, alinhadas, e não se distinguia o seu fim.

"A guerra, a guerra", pensou o coronel, e em vão tentava repelir o pensamento, como se fosse um desejo proibido. A esperança acordara às palavras de Matti e o enchia de excitação.

Com a mente assim revolta, o coronel encontrou-se de repente na sala de reuniões, diante de todos os oficiais alinhados (exceto aqueles em serviço de guarda). Acima da mancha azul dos uniformes, resplandeciam de palidez rostos curiosos, que ele custava a reconhecer; jovens ou murchos, todos lhe diziam a mesma coisa, com os olhos acesos de febre pediam-lhe avidamente o anúncio formal de que haviam chegado os inimigos. Em posição de sentido, todos o fitavam, com a pretensão de não serem espoliados.

No grande silêncio da sala, ouvia-se apenas a respiração profunda dos oficiais. E o coronel compreendeu que precisava falar. Foi naquele instante que se sentiu invadir por um sentimento novo e desenfreado. Com admiração, sem perceber as razões, Filimore teve a repentina certeza de que os estrangeiros eram realmente inimigos, determinados a violar a fronteira. Não entendia realmente como acontecera, ele que até um momento atrás soubera vencer a tentação de crer. Sentia-se como que arrastado pela tensão comum dos ânimos, compreendia que ia falar sem reservas. "Senhores oficiais", diria, "chegou finalmente a hora que esperamos há muitos anos." Diria isso, ou alguma coisa semelhante, e os oficiais escutariam com gratidão suas palavras, autorizada promessa de glória.

Ele estava prestes a falar; porém, dos recessos de sua alma, ainda teimava uma voz contrária. É impossível, coronel, dizia essa voz, cuide-se enquanto é tempo, é um engano (bonito demais para ser verdade), cuidado, deve haver por trás disso tudo um engano colossal.

Na comoção que o invadia, aflorava de vez em quando essa voz inimiga. Mas era tarde, sua demora começava a ficar embaraçosa.

E o coronel deu um passo adiante, ergueu a cabeça como era seu hábito quando começava a falar, e os oficiais viram que seu rosto se tornara repentinamente vermelho: sim, o senhor coronel corava como uma criança, pois estava prestes a confessar o bem-guardado segredo de toda a sua vida.

Estava levemente corado, como uma criança, e seus lábios iam emitir o primeiro som, quando a voz hostil ressurgiu no fundo da alma, e Filimore teve um tremor de suspensão. Pareceu-lhe então ouvir um passo precipitado que subia as escadas, que se aproximava da sala onde eles estavam reunidos. Nenhum dos oficiais, atentos a seu comandante, percebeu, mas os ouvidos de Filimore, depois de tantos anos, estavam treinados para distinguir os mínimos sons do forte.

O passo se aproximava, não havia dúvida, com insólita precipitação. Tinha um som esquisito e despojado, um som de inspeção administrativa; como se chegasse diretamente do mundo da planície. O rumor agora chegava distintamente também aos outros oficiais e feriu-os grosseiramente no íntimo, sem que se pudesse dizer por quê. Abriu-se finalmente a porta e apareceu um oficial desconhecido, dos Dragões, ofegante de cansaço, coberto de poeira.

Bateu continência.

— Tenente Fernandez — disse —, do 7º dos Dragões. Trago esta mensagem da cidade, da parte de Sua Excelência, o chefe do Estado-Maior. — Segurando com elegância o seu comprido quepe com o braço esquerdo dobrado em arco, aproximou-se do coronel e entregou-lhe um envelope lacrado.

Filimore apertou-lhe a mão.

— Obrigado, tenente — disse —, deve ter dado uma boa corrida, acho. O colega Santi vai levá-lo para descansar um pouco. — Sem deixar transparecer a menor sombra de inquietação, o coronel fez um sinal ao tenente Santi, o primeiro que lhe caiu diante dos olhos, convidando-o a fazer as honras da casa. Os dois oficiais saíram, e a porta foi fechada. — Permitem? — perguntou Filimore com um sorriso sutil, mostrando o envelope, para indicar que preferia lê-lo imediatamente.

Suas mãos arrancaram os lacres, rasgaram uma ponta, puxaram uma folha dupla, completamente coberta de escrita.

Os oficiais fitavam-no enquanto lia, tentando flagrar alguma coisa refletida em seu rosto. Porém, nada. Como se estivesse dando uma lida num jornal, depois do jantar, sentado junto à lareira, numa letárgica noite de inverno. Somente o rubor desaparecera do rosto seco do comandante.

Quando terminou de ler, o coronel dobrou a folha dupla, introduziu-a novamente no envelope, enfiou-o no bolso e levantou a cabeça, dando a entender que estava prestes a falar. Sentia-se no ar que algo acontecera, que o encanto de pouco antes fora quebrado.

— Senhores oficiais — disse, e a voz custava muito a sair. — Houve esta manhã, entre os soldados, se não me engano, uma certa excitação, e mesmo entre vocês, se não me engano, em razão de terem sido avistados destacamentos na assim chamada planície dos tártaros.

Suas palavras abriam, com dificuldade, um rombo no profundo silêncio. Uma mosca esvoaçava pela sala.

— Trata-se — continuou —, trata-se de destacamentos do Estado do Norte, encarregados de demarcar a linha de fronteira, como foi feito por nós, há muitos anos. Por isso eles não passarão pelo forte, provavelmente se espalharão em grupos, escalonando-se pelas montanhas. É o que me comunica nesta carta Sua Excelência, o chefe do Estado-Maior.

Filimore, ao falar, soltava longos suspiros, não motivados por impaciência ou dor, mas suspiros exclusivamente físicos, como é próprio dos velhos; e igual à dos velhos parecia ter ficado de repente a sua voz, por certas frouxidões cavernosas, e do mesmo modo seus olhos, amarelados e opacos.

O coronel Filimore já pressentira tudo, desde o princípio.

Não podiam ser inimigos, bem que ele sabia: não nascera para a glória, inúmeras vezes se iludira tolamente. Por que — perguntava-se com raiva —, por que se deixara enganar, se pressentira desde o princípio que devia terminar assim?

— Como vocês sabem — continuou, num tom bastante apático, para não parecer extremamente amargo —, os marcos de fronteira e os outros sinais de demarcação já foram fixados por nós, há muitos anos. Falta, porém, como informa Sua Excelência, um trecho ainda não definido. Enviarei para completar o serviço um certo número de homens comandados por um capitão e um subalterno. É uma zona montanhosa, com duas ou três cadeias paralelas. É supérfluo acrescentar que seria bom avançar o mais adiante possível, para garantirmos a borda setentrional. Não que estrategicamente seja essencial, se me compreendem, pois ali uma guerra nunca poderá ter desenvolvimento, nem oferecer possibilidades de manobra... — interrompeu-se por um instante, perdido em pensamentos. — Possibilidades de manobra, onde eu parei mesmo?

— Dizia que é preciso ir adiante o máximo possível... — sugeriu o major Matti, com suspeita compunção.

— Ah, pois é: estava dizendo que seria preciso ir adiante o máximo possível. Infelizmente a coisa não é fácil: já estamos atrasados em relação aos do Norte. De qualquer modo... Bem, falaremos disso mais tarde — concluiu, voltando-se para o tenente-coronel Nicolosi.

Calou-se e parecia cansado. Vira descer sobre os rostos dos oficiais, enquanto falava, um véu de desilusão, vira-os, de guerreiros ansiosos por luta, tornarem-se incolores oficiais de guarnição. "Mas são jovens", pensava, "e para eles ainda há tempo."

— Bem — prosseguiu o coronel —, dói-me agora precisar fazer uma observação que se refere a vários dos senhores. Notei mais de uma vez que na hora de render a guarda alguns pelotões se apresentam no pátio desacompanhados de seus respectivos oficiais. Esses oficiais evidentemente se consideram autorizados a chegar mais tarde...

A mosca esvoaçava pela sala, a bandeira em cima do telhado do forte se afrouxara, o coronel falava em disciplina e regulamentos, na planície do norte avançavam fileiras de soldados, não mais inimigos ávidos de batalha, mas soldados inócuos como eles, não impelidos ao extermínio, porém enviados numa operação cadastral, e seus fuzis estavam descarregados, as adagas, sem fio. Pela planície do norte abaixo alastra-se aquele inofensivo simulacro de exército, e no forte tudo se estagna de novo ao ritmo dos dias de sempre.

XV

A expedição para delimitar a linha no trecho de fronteira não demarcado partiu no dia seguinte, ao amanhecer. Era comandada pelo gigantesco capitão Monti, acompanhado pelo tenente Angustina e por um sargento-mor. A cada um dos três fora confiada a senha do dia e dos quatro dias seguintes. Era bastante improvável que os três pudessem perecer; de qualquer modo, o mais velho dos soldados sobreviventes teria a permissão de abrir o casaco dos superiores mortos ou desfalecidos, remexer num bolsinho interno e pegar o envelope lacrado, que continha a palavra secreta para entrar novamente no forte.

Quarenta homens armados saíram das muralhas do forte, em direção ao norte, ao nascer do sol. O capitão Monti usava sapatos grossos, com pregos, iguais aos dos soldados. Somente Angustina usava botas, e o capitão olhara para elas com exagerada curiosidade, antes de partir, sem dizer nada, porém.

Desceram uma centena de metros pelos pedregulhos, em seguida dobraram à direita, horizontalmente, rumo à embocadura de um estreito vale rochoso que adentrava o coração da montanha.

Caminhavam fazia meia hora, quando o capitão disse:

— Com essas aí — e apontava as botas de Angustina —, vai se cansar.

Angustina não disse nada.

— Não gostaria que você tivesse de parar — repetiu o capitão um pouco depois. — Vão machucá-lo, verá.

— Agora é tarde demais, senhor capitão, poderia ter me avisado antes, se é como está dizendo — respondeu Angustina.

— Teria dado no mesmo — rebateu Monti. — Eu o conheço, Angustina, você as teria calçado do mesmo jeito.

Monti não o suportava. "Com essa pose toda", pensava, "vai ver só, daqui a pouco." E forçava a marcha ao máximo, mesmo nos declives mais íngremes, sabendo que Angustina não era robusto. No entanto, tinham se aproximado da base dos paredões. O cascalho tornara-se menor, e os pés se afundavam nele com muito esforço.

— Habitualmente sopra um vento do inferno nesta garganta... Mas hoje está bom — disse o capitão.

O tenente Angustina ficou quieto.

— Por sorte também não está fazendo sol — continuou Monti. — Hoje está muito bom.

— O senhor já esteve aqui? — perguntou Angustina.

— Uma vez — respondeu Monti —, devíamos procurar um soldado fugi...

Interrompeu-se porque do alto de um paredão cinzento, pendente sobre eles, chegara um som de desmoronamento. Ouviam-se os baques dos rochedos que explodiam contra os penhascos e ricocheteavam com ímpeto selvagem pelo abismo, entre nuvens de poeira. Um estrondo de trovão repercutia de parede a parede. No coração dos despenhadeiros, o misterioso desmoronamento continuou por alguns instantes, mas exauriu-se nos profundos canais antes de chegar embaixo; nos cascalhos, por onde subiam os soldados, só chegaram duas ou três pedrinhas.

Todos estavam calados, nos rumores do desmoronamento foi pressentida uma presença inimiga. Monti fitou Angustina com um vago ar de desafio. Esperava que tivesse medo; porém, nada. O tenente, entretanto, parecia exageradamente acalorado pela curta caminhada; seu elegante uniforme tinha como que se descomposto.

"Com toda essa pose, maldito esnobe", pensava Monti, "quero vê-lo daqui a pouco."

Retomou logo a caminhada, forçando ainda mais a marcha, e dava, de vez em quando, breves olhadas para trás para observar Angustina; sim, como havia esperado e previsto, via-se que as botas começavam a atormentar-lhe os pés. Não que Angustina diminuísse o passo ou fizesse cara de dor. Via-se pelo ritmo da marcha, pela expressão de severo esforço, marcada em sua testa.

— Hoje eu andaria durante seis horas — disse o capitão. — Se não fossem os soldados... Está muito bom, hoje — insistia, com ingênua malícia. — Como está indo, tenente?

— Desculpe, capitão — disse Angustina. — O que disse?

— Nada — e sorria maldoso —, perguntei como estava indo.

— Ah, bem, obrigado — disse Angustina evasivamente; e após uma pausa, para esconder o ofegar da subida: — Pena que...

— Pena o quê? — perguntou Monti, esperando que o outro se confessasse cansado.

— Pena que não se possa vir aqui mais vezes, são lugares muito bonitos — e sorria com seu ar distante.

Monti acelerou ainda mais a marcha. Mas Angustina seguia-o de perto; seu rosto agora estava pálido pelo esforço, o suor escorria da aba do quepe pesado até o pano do casaco, nas costas, que ficara encharcado,

— mas ele não dizia nada nem ficava para trás. Já haviam penetrado entre os penhascos; horrendas paredes cinzentas erguiam-se a pique ao redor, o vale parecia subir a altitudes inconcebíveis. Desapareciam os aspectos da vida rotineira para dar lugar à imóvel desolação da montanha. Fascinado, Angustina de vez em quando erguia os olhos até as cristas oscilantes acima deles.

— Daremos uma parada mais adiante — disse Monti, que não lhe tirava os olhos de cima. — O lugar ainda não é visível. Mas, sinceramente, não está cansado, não é mesmo? Às vezes, a gente está indisposto. É melhor falar, mesmo que nos arrisquemos a um atraso.

—Vamos indo, vamos indo — foi a resposta de Angustina, como se fosse ele o superior.

— Sabe, eu disse isso porque qualquer um pode se sentir mal. Só falei por isso...

Angustina estava pálido, rios de suor fluíam da aba do quepe, o casaco estava completamente encharcado.

Mas cerrava os dentes e não cedia, preferia antes morrer. Procurando fazer com que o capitão não o visse, realmente dava olhadas em direção ao topo do vale, em busca do fim daquela provação.

Entretanto, o sol se erguera e iluminava os cumes mais altos, só que sem o fresco esplendor das belas manhãs de outono. Um véu de caligem espalhava-se lentamente no céu, sub-reptício e uniforme.

Agora as botas começavam a machucar terrivelmente, o couro mordia o peito do pé; a julgar pela dor, a pele já devia ter-se cortado.

De repente os pedregulhos terminaram, e o vale desembocou numa pequena esplanada coberta de uma relva rala, no sopé de um círculo de paredes. De um lado e do outro elevavam-se, num intrincamento de torres e de rachaduras, muralhas cuja altura era difícil calcular.

Embora a contragosto, o capitão Monti ordenou uma pausa e deu tempo aos soldados para comer. Angustina sentou-se com elegância numa pedra, embora tremesse ao vento, que lhe gelava o suor. Ele e o capitão dividiram um naco de pão, uma fatia de carne, queijo e uma garrafa de vinho.

Angustina sentia frio, olhava para o capitão e os soldados, para ver se por acaso alguém desatava o nó do capote, para poder imitá-lo. Mas os soldados pareciam insensíveis ao cansaço e brincavam entre si, o capitão comia com ávida satisfação, olhando entre um bocado e outro para uma montanha, acima deles.

— Agora — disse —, agora eu sei por onde se pode subir — e apontava a parede proeminente que terminava na crista almejada. — É preciso subir por aqui. Muito íngreme, não? O que acha, tenente?

Angustina examinou a parede. Para atingir a crista limítrofe, era necessário subir por ali mesmo, a menos que se quisesse contorná-la por algum desfiladeiro. Isso, porém, demandaria muito mais tempo, e era preciso apressar-se: os do Norte haviam sido favorecidos, pois tinham se colocado em movimento antes, e do lado deles o caminho era muito mais fácil. Era preciso subir pela parede exatamente por ali.

— Pela frente? — perguntou Angustina, observando os íngremes declives, e notou que uma centena de metros mais à esquerda o acesso seria muito mais simples.

— Por aqui mesmo, em frente — repetiu o capitão. — O que acha disso?

— O importante é chegar antes deles — disse Angustina.

O capitão fitou-o com manifesta antipatia.

— Pois é — disse. — Agora vamos jogar uma partidinha.

Tirou do bolso um baralho, estendeu em cima de uma pedra a sua capa, convidou Angustina para jogar, depois disse:

— Aquelas nuvens. Você olha para elas de um jeito estranho, mas não tenha medo, essas não são nuvens de mau tempo... — e riu, sabe-se lá por quê, como se tivesse feito uma brincadeira engraçada.

Começaram então a jogar. Angustina sentia-se gelar pelo vento. Enquanto o capitão, que se sentara entre duas pedras que lhe serviam de proteção, recebia o ar em cheio, nas costas. "Desta vez fico doente", pensou.

— Ah, isso é demais! — gritou, literalmente urrou, o capitão Monti de repente. — Por Deus, deixar passar um ás assim, à toa! Mas, caro tenente, onde está com a cabeça? Fica olhando lá para cima, nem presta atenção nas cartas.

— Não, não — respondeu Angustina. — Enganei-me! — E tentou rir, sem resultado.

— Diga a verdade — disse Monti, com satisfação triunfal. — Diga a verdade: esses trecos aí o estão machucando, bem que eu disse desde o começo.

— Que trecos?

— As suas belas botas. Não são para estas caminhadas, caro tenente. Diga a verdade: estão machucando.

— Incomodam-me — admitiu Angustina, num tom de pouco-caso, como a dizer que lhe desagradava falar nisso. — Incomodam-me, realmente.

— Ah, ah! — Riu satisfeito o capitão. — Bem que eu sabia! Também, quem mandou sair de botas por esses cascalhos!

— Olhe que eu joguei um rei de espadas — advertiu Angustina, gélido. — Não tem nenhuma para me dar?

— Claro, claro, quase me engano — disse o capitão, muito alegre.
—Também, as botas!

As botas do tenente Angustina na verdade não aderiam bem às rochas da parede. Desprovidas de pregos, tendiam a escorregar, enquanto os sapatos do capitão Monti e dos soldados grudavam-se solidamente nos apoios. Nem por isso Angustina ficava atrás: com multiplicado empenho, embora já estivesse cansado e o suor gelado o fizesse sofrer, conseguia seguir de perto o capitão pela muralha gretada.

A montanha mostrava-se menos difícil e íngreme do que parecia, olhando-se de baixo. Era toda sulcada de cunículos, de rachaduras, de cornijas arenosas, e várias rochas, ásperas, de inúmeros apoios, nos quais era fácil se agarrar. Pouco ágil por natureza, o capitão escalava com dificuldade, em sucessivos saltos, olhando de vez em quando para baixo, na esperança de que Angustina tivesse se arrebentado. Angustina, ao contrário, mantinha-se firme; procurava com a máxima presteza os apoios mais largos e seguros e quase se admirava por poder içar-se tão rapidamente, apesar de sentir-se extenuado.

À medida que o abismo aumentava embaixo deles, parecia afastar-se cada vez mais a crista final, defendida por uma muralha amarela, a pique. E cada vez mais velozmente aproximava-se a tarde, ainda que um denso teto de nuvens cinzentas impedisse de avaliar a altura restante do sol. Começava também a fazer frio. Um vento ruim subia do vale, e podia-se ouvi-lo ofegar por entre as fendas da montanha.

— Senhor capitão! — ouviu-se, a um certo ponto, gritar de baixo o sargento que fechava a marcha.

Monti se deteve, deteve-se Angustina, depois todos os soldados, até o último.

— O que foi agora? — perguntou o capitão, como se outros motivos de preocupação já o perturbassem.

— Os do Norte já estão na crista! — gritou o sargento.

— Está louco? Onde estão? — retrucou Monti.

— À esquerda, em cima daquele selim, logo à esquerda daquela espécie de nariz!

Estavam lá, de fato. Três minúsculas figuras negras destacavam-se contra o céu cinzento e estavam visivelmente em movimento. Era evidente que já haviam ocupado o trecho inferior da crista, e com toda a probabilidade chegariam ao topo antes deles.

— Por Deus! — disse o capitão, com uma olhada raivosa para baixo, como se os soldados fossem responsáveis pelo atraso. Em seguida olhou para Angustina: — Pelo menos precisamos ocupar o topo, sem mais conversa, senão teremos problemas com o coronel!

— Seria preciso que eles parassem um pouco — disse Angustina. — Do selim ao topo não levarão mais de uma hora. Se não pararem um pouco, chegaremos depois deles, não há jeito.

O capitão então disse:

— Talvez seja melhor eu ir na frente com quatro soldados; sendo poucos, vamos mais rápido. Você vem atrás com calma, ou espera aqui, se está cansado.

"Eis aonde queria chegar aquele canalha", pensou Angustina, "quer deixar-me para trás, para somente ele fazer bonito."

— Sim, senhor, às ordens — respondeu. — Mas prefiro subir também. Aqui parado a gente congela.

O capitão, com quatro dos soldados mais ágeis, partiu como patrulha avançada. Angustina assumiu o comando dos remanescentes e esperou inutilmente ainda poder manter-se no encalço de Monti. Os seus eram muitos; a fila, aumentando a marcha, alongava-se desmesuradamente, tanto que os últimos perdiam-se completamente de vista.

Angustina viu assim a pequena patrulha do capitão desaparecer no alto, atrás das cinzentas prateleiras de rocha. Por algum tempo ouviu os pequenos desmoronamentos de pedregulhos provocados por eles nos canais, depois nem isso. Até suas vozes acabaram por dissolver-se na distância.

Enquanto isso, porém, o céu ia ficando carregado. Os penhascos ao redor, as pálidas paredes do outro lado do vale, no fundo do precipício, adquiriam uma cor lívida. Pequenos corvos voavam ao longo das arestas aéreas, emitindo gritos, pareciam chamar uns aos outros, pressentindo perigos iminentes.

— Senhor tenente — disse a Angustina o soldado que o seguia. — Daqui a pouco vai chover.

Angustina deteve-se para olhá-lo por um instante e não disse nada. As botas já não o atormentavam mais, porém começara um cansaço profundo. Cada metro de subida custava-lhe um supremo esforço. Por sorte, as rochas daquele trecho eram menos íngremes e muito mais gretadas que as precedentes. "Sabe-se lá até onde terá chegado o capitão", pensava Angustina, "talvez já esteja no topo, talvez já tenha fincado a bandeirola e demarcado o limite, talvez até mesmo esteja no caminho de volta."

Olhou para cima e percebeu que o cume não estava muito longe. Só não sabia por onde se poderia passar, tão abrupto e liso era o paredão que o sustinha.

Finalmente, desembocando em cima de um largo desvão pedregoso, Angustina achou-se a poucos metros do capitão Monti. Trepado nos ombros de um soldado, o oficial tentava alçar-se por uma curta parede a pique, que certamente não tinha mais de 12 metros de altura, mas aparentemente era inacessível. Era evidente que Monti já havia alguns minutos teimava em tentar, sem conseguir achar um caminho.

Debateu-se três ou quatro vezes procurando um apoio, pareceu encontrá-lo, xingou, foi visto caindo novamente sobre os ombros do soldado, que vibrava por causa do esforço. Finalmente desistiu e saltou para o pedregulho do desvão.

Monti, que ofegava de cansaço, fitou Angustina com ar hostil.

— Podia esperar lá embaixo, tenente — disse. — Por aqui certamente não passam todos, será muito se eu conseguir subir com dois soldados. Era melhor que o senhor ficasse esperando lá embaixo, agora está anoitecendo e descer vai ser complicado.

— O senhor me disse, capitão — respondeu Angustina, com total indiferença. — O senhor me disse para fazer como eu preferisse: esperar ou subir atrás do senhor.

— Está bem — disse o capitão. — Agora é preciso achar um caminho, só faltam esses poucos metros para chegar ao topo.

— Como? O topo fica logo ali atrás? — perguntou o tenente com uma indefinível ironia, da qual Monti sequer suspeitou.

— Não faltam nem 12 metros — imprecava o capitão. — Por Deus, quero só ver se não passo. À custa de…

Foi interrompido por um grito arrogante que vinha do alto: na beirada superior da curta parede, apareceram duas cabeças humanas, sorridentes.

— Boa tarde, senhores — gritou um deles, talvez um oficial. — Por aí não dá para passar, é preciso subir pela crista!

As duas cabeças retiraram-se e se ouviram apenas confusas vozes de homens confabulando. Monti estava lívido de raiva. Então não havia nada mais a ser feito. Os do Norte já haviam ocupado o topo. O capitão sentou-se numa pedra do desvão, sem ligar para os soldados que continuavam a chegar lá de baixo.

Bem naquela hora começou a nevar, uma neve densa e pesada, como em pleno inverno. Em poucos instantes, parece incrível, os pedregulhos do desvão ficaram brancos e a luz faltou repentinamente. Caíra a noite, coisa em que até então ninguém pensara seriamente.

Os soldados, sem demonstrar a menor preocupação, desenrolaram as capas e se cobriram.

— Por Deus, o que estão fazendo? — gritou o capitão. — Enrolem logo as capas! Não me digam que estão pensando em passar a noite aqui! É preciso descer, agora.

— Se me permite, senhor capitão — disse Angustina —, já que os outros estão lá no topo...

— O que... o que você quer dizer? — perguntou o capitão, furioso.

— Que não se pode voltar atrás, parece-me, uma vez que os do Norte estão no topo. Eles chegaram antes, e nós não temos mais nada a fazer aqui, seria um papel indigno!

O capitão não respondeu, ficou andando de um lado ao outro do largo desvão. Depois disse:

— Mas eles também irão embora logo; no topo, com este tempo, é ainda pior que aqui.

— Senhores! — chamou uma voz do alto, enquanto quatro ou cinco cabeças despontavam na beirada da parede. — Não façam cerimônia, peguem estas cordas, venham aqui para cima, no escuro não dá para descer pela parede!

Ao mesmo tempo duas cordas foram lançadas do alto, a fim de que os do forte delas se utilizassem para subir a curta muralha.

— Obrigado — respondeu o capitão Monti, com ar de troça. — Obrigado pelo incômodo, mas nós resolvemos os nossos próprios problemas!

— Como quiserem — gritaram ainda do topo. — De qualquer modo, nós as deixaremos aqui, caso queiram, estão à disposição.

Seguiu-se um longo silêncio, só se ouvia o ruído da neve caindo e alguns acessos de tosse dos soldados. A visibilidade havia quase desaparecido por completo, mal se conseguia enxergar a beirada da parede proeminente, da qual irradiava agora o rubro reflexo de uma lanterna.

Vários soldados do forte, depois de vestirem suas capas, acenderam as lanternas. Uma foi levada ao capitão, caso precisasse.

— Senhor capitão — disse Angustina, com voz cansada.

— O que é agora?

— Senhor capitão, o que acha de jogar uma partidinha?

— Para o inferno com a partidinha! — respondeu Monti, que sabia muito bem que naquela noite não se poderia mais descer.

Sem proferir palavra, Angustina tirou o baralho da pasta do capitão, guardada por um soldado. Estendeu sobre uma pedra um pedaço da própria capa, pôs a lanterna do lado, começou a embaralhar.

— Senhor capitão — repetiu. — Ouça o que digo, ainda que não tenha vontade.

Monti compreendeu então que o tenente pretendia dizer: diante dos outros do Norte, que provavelmente zombavam deles, não restava outra coisa a fazer. E enquanto os soldados se arrumavam junto à base da parede, aproveitando cada reentrância, ou se punham a comer entre brincadeiras e risadas, os dois oficiais, sob a neve, começaram uma partida de baralho. Acima deles, as rochas a pique, embaixo o precipício negro.

— Capote, capote! — ouviu-se gritar do alto, em tom zombeteiro.

Nem Monti nem Angustina ergueram a cabeça, continuando o jogo. O capitão, porém, jogava de má vontade, atirando as cartas com raiva sobre a capa. Em vão Angustina tentava brincar:

— Magnífico, dois ases em seguida... Mas esses eu pego... Diga a verdade, tinha se esquecido daquele de paus... — E ria também, de vez em quando: um riso aparentemente sincero.

Do alto ouviram-se vozes, em seguida rumores de pedregulhos deslocados, provavelmente estavam se preparando para partir.

— Boa sorte! — gritou ainda na direção deles a voz de antes. — Boa viagem... E não esqueçam as duas cordas!

Nem o capitão nem Angustina responderam. Continuaram a jogar sem dar sequer um sinal de resposta, ostentando grande concentração.

O reflexo da lanterna sumiu do topo; evidentemente os do Norte estavam de partida. As cartas sob a densa neve haviam se encharcado, e só se conseguia embaralhá-las com dificuldade.

— Agora chega — disse o capitão, jogando as suas sobre a capa. — Chega com esta farsa! — Retirou-se para baixo das rochas, enrolou-se cuidadosamente na capa. — Toni! — chamou —, traga minha pasta e arranje-me água para beber.

— Ainda estão nos vendo — disse Angustina. — Ainda estão nos vendo da crista! — Mas, como sabia que Monti estava farto daquilo, prosseguiu sozinho, fingindo que a partida continuava. Entre clamorosas exclamações inerentes ao jogo, o tenente segurava com a mão esquerda suas cartas, com a direita as jogava no pedaço da capa, fingindo recolher as descartadas; da crista, através da densa neve, certamente não podiam ver que o oficial jogava sozinho.

Uma horrível sensação de gelo, no entanto, penetrara-lhe as entranhas. Ele sentia que talvez não fosse mais capaz de se mover, nem mesmo de se esticar; nunca, que se lembrasse, se sentira tão mal.

Em cima da crista ainda se enxergava o reflexo bamboleante da lanterna dos outros, que se afastava; podia-se vê-lo ainda. (*E na janela do maravilhoso palácio surgiu um vulto delgado: o próprio Angustina menino, de uma palidez impressionante, com um elegante traje de veludo e uma gola de renda branca; com um gesto cansado abriu a janela, inclinando-se em direção dos flutuantes espíritos pendurados no parapeito, como se tivesse intimidade com eles e quisesse dizer-lhes algo.*)

— Capote, capote! — ainda tentava ele gritar para fazer-se ouvir pelos estrangeiros, mas saía-lhe uma mísera voz rouca e extenuada. — Por Deus, é a segunda vez, senhor capitão!

Fechado em seu casacão, mastigando lentamente alguma coisa, Monti agora fitava atentamente Angustina, com uma raiva cada vez menor.

— Chega, venha abrigar-se, tenente, agora os do Norte já se foram!

— O senhor é melhor que eu, capitão — insistia Angustina na farsa, perdendo cada vez mais a voz. — Mas hoje não é o seu dia. Por que continua olhando para cima? Por que olha para o topo? Está um pouco nervoso, só pode ser.

Então, sob o formigar da neve, as derradeiras cartas encharcadas escorregaram da mão do tenente Angustina, a própria mão tombou sem vida, permaneceu inerte ao longo da capa, à luz trêmula da lanterna.

Com as costas apoiadas numa pedra, o tenente abandonou-se num movimento lento para trás, enquanto uma estranha sonolência começava a invadi-lo. (*E rumo ao palácio, na noite de lua, avançava pelo ar um pequeno cortejo de outros espíritos que empurravam uma liteira.*)

— Tenente, venha comer um pouco, com este frio é preciso comer, faça força, ainda que não tenha vontade! — gritava assim o capitão, e uma sombra de apreensão vibrava em sua voz. — Venha aqui para baixo, que já vai parar de nevar.

Era assim de fato: quase que de repente as alvas lâminas haviam se tornado menos densas e pesadas, a atmosfera, mais límpida, e já se podiam vislumbrar, à luz das lanternas, as rochas localizadas a várias dezenas de metros.

E subitamente, através de um rasgo da tempestade, a uma distância incalculável, surgiram as luzes do forte. Pareciam infinitas, como as de um castelo encantado, imerso no júbilo de antigos carnavais. Angustina viu as luzes, e um leve sorriso esboçou-se lentamente nos lábios entorpecidos pelo gelo.

— Tenente — chamou de novo o capitão, que começava a entender. — Tenente, deixe essas cartas para lá, venha aqui para baixo, onde se está ao abrigo do vento.

Mas Angustina olhava as luzes e na verdade não mais sabia exatamente de onde eram, se do forte, ou da cidade distante, ou então do próprio castelo, onde ninguém o esperava de volta.

Talvez, dos bastiões do forte, uma sentinela naquele instante tivesse volvido os olhos casualmente para as montanhas, reconhecendo as luzes sobre a altíssima crista; a uma distância tão grande, a parede maligna era menos que nada, não fazia nenhuma diferença. E talvez fosse Drogo quem comandasse a guarda, Drogo, que provavelmente, caso o tivesse desejado, teria podido partir com o capitão e Angustina. Mas a Drogo parecera uma tolice: desfeita a ameaça dos tártaros, aquele serviço nada mais era que um aborrecimento, em que não havia nada de meritório. Agora, porém, Drogo via a tremulação das lanternas no topo e começava a se arrepender de não ter ido. Pois não apenas numa guerra se podia encontrar alguma coisa de digno; agora ele queria estar lá em cima, no coração da noite e da tempestade. Tarde demais, a ocasião passara-lhe ao lado e ele a deixara escapar.

Descansado e seco, envolto em sua capa, Giovanni Drogo olhava, talvez com inveja, para as longínquas luzes, enquanto Angustina, todo incrustado de neve, valia-se com dificuldade da força restante para cofiar os bigodes molhados e ajeitar meticulosamente a capa, não com o objetivo de enrolar-se nela e ficar aquecido, mas visando um outro plano secreto. Do abrigo, o capitão o fitava, estupefato, perguntava-se o que Angustina estava fazendo, onde lhe acontecera ver uma outra figura muito parecida com ele, sem conseguir porém lembrar-se.

Havia, numa sala do forte, um velho quadro representando o fim do príncipe Sebastião. Mortalmente ferido, o príncipe Sebastião jazia no coração da floresta, apoiando as costas num tronco, com a cabeça um pouco largada para um lado, a capa recaindo em harmoniosas pregas; nada havia na imagem da desagradável crueldade física da morte; e olhando-se para ele não era de admirar que o pintor tivesse conservado toda a sua nobreza e extrema elegância.

Agora Angustina, ah, não que estivesse pensando nisso, assemelhava-se ao príncipe Sebastião, ferido no coração da floresta; Angustina não tinha como ele a brilhante armadura, nem a seus pés jazia o elmo ensanguentado nem a espada partida; não apoiava as costas num tronco, mas numa dura pedra; nem o derradeiro raio de sol iluminava-lhe a fronte, mas apenas uma fraca lanterna. No entanto, parecia-se muito com ele, idêntica a posição dos membros, idêntico o drapejo da capa, idêntica a expressão de cansaço definitivo.

Então, naquele momento, comparados a Angustina, apesar de serem bem mais vigorosos e ousados, o capitão, o sargento e todos os demais soldados pareciam rudes camponeses. Monti sentiu, embora parecesse inverossímil, nascer dentro de si uma admiração invejosa. Depois que a neve cessara, o vento soprava lamentos entre os penhascos, num torvelinho de poeira de cristais de gelo, fazia oscilar as chamas entre os vidros das lanternas. Angustina parecia não senti-lo, continuava imóvel, apoiado à pedra, com os olhos fixos nas luzes distantes do forte.

— Tenente! — tentou novamente o capitão Monti. — Tenente! Decida-se! Venha para baixo, se ficar aí não vai resistir, acabará congelado. Venha para baixo, Toni construiu uma espécie de mureta.

— Obrigado, capitão — disse Angustina com esforço, e, sentindo muita dificuldade para falar, ergueu levemente a mão, fazendo um sinal, como a dizer que não tinha importância, que era tudo bobagem, sem a menor relevância.

(*Por fim o chefe dos espíritos dirigiu-lhe um gesto imperioso, e Angustina, com seu ar indiferente, desceu do parapeito e sentou-se elegantemente na liteira. A carruagem encantada moveu-se suavemente para partir.*)

Por alguns minutos só se ouviu o uivo rouco do vento. Até os soldados, amontoados sob as rochas para se aquecerem mais, tinham perdido a vontade de brincar e lutavam em silêncio contra o frio.

Quando o vento amainou, Angustina reergueu a cabeça alguns centímetros, mexeu devagar a boca para falar, saíram-lhe apenas estas duas palavras: "Amanhã precisaria...", e depois mais nada. Duas palavras apenas, e tão apagadas que nem mesmo o capitão Monti se deu conta de que ele havia falado.

Duas palavras, e a cabeça de Angustina tombou para a frente, abandonada a si mesma. Uma de suas mãos largou-se, branca e rígida, dentro da prega da capa, a boca conseguiu fechar-se, novamente nos lábios foi se esboçando um sorriso débil. (*Levado pela liteira, ele desviou os olhos do amigo e virou a cabeça para a frente, na direção do cortejo, com uma espécie de curiosidade divertida e desconfiada. Afastou-se assim, na noite, com nobreza quase inumana. O cortejo mágico seguiu serpenteando lentamente no céu, cada vez mais para o alto, tornou-se uma confusa esteira, depois um minúsculo tufo de névoa e depois mais nada.*)

— O que você queria dizer, Angustina? Amanhã o quê?

O capitão Monti, saindo finalmente de seu abrigo, sacode o tenente com força, pelos ombros, para fazê-lo reanimar-se; mas consegue apenas descompor as nobres pregas do sudário militaresco, e é uma pena. Nenhum dos soldados ainda viu o que aconteceu.

Às imprecações de Monti responde o precipício negro, e é somente a voz do vento.

— O que você queria dizer, Angustina? Você se foi sem terminar a frase; talvez fosse uma tolice qualquer, talvez uma esperança absurda, talvez até mesmo nada.

XVI

Depois do enterro do tenente Angustina, o tempo recomeçou a passar no forte exatamente como antes.

O major Ortiz perguntava a Drogo:
— Há quanto tempo?

Drogo respondia:
— Estou aqui há quatro anos.

Chegara inopinadamente o inverno, a longa estação. Não demoraria a cair neve, no começo quatro ou cinco centímetros; em seguida, após uma pausa, uma camada mais alta, e depois outras vezes mais, parecia impossível calcular, havia tanto tempo à frente antes que a primavera voltasse. (Contudo um dia, muito antes do previsto, muito antes, ouvir-se-ão das bordas dos terraços rios de água despencando, e o inverno terá inexplicavelmente acabado.)

O ataúde do tenente Angustina, envolto na bandeira, jazia enterrado num pequeno recinto, de um dos lados do forte. Em cima havia uma cruz de pedra branca com seu nome escrito. Para o soldado Lazzari, mais adiante, uma cruz menor, de madeira.

Disse Ortiz:
— Eu às vezes fico pensando: nós desejamos a guerra, esperamos a ocasião propícia, reclamamos porque nunca acontece nada. No entanto, você viu? Angustina...

— Quer dizer — disse Giovanni Drogo —, quer dizer que Angustina não precisou da sorte? Que ele foi capaz assim mesmo?

— Ele era fraco e acho que doente também — disse o major Ortiz. — Estava pior que todos nós, realmente. Ele, como nós, não encontrou o inimigo, para ele também não houve guerra. No entanto, morreu como numa batalha. Sabe, tenente, como foi que morreu?

Drogo disse:
— Sim, eu também estava lá quando o capitão Monti contou.

Chegara o inverno, e os estrangeiros haviam ido embora. Os belos estandartes da esperança, de reflexos cor de sangue, lentamente baixaram, e o ânimo estava de novo tranquilo; mas o céu ficara vazio, os olhos ainda buscavam inutilmente alguma coisa nas fronteiras extremas do horizonte.

— Soube morrer no momento exato, realmente — disse o major Ortiz. — Como se uma bala o tivesse apanhado. Um herói, sem dúvida alguma. Contudo, não houve tiros. Para todos os outros que naquele dia estavam com ele, as probabilidades eram idênticas, ele não tinha nenhuma vantagem, a não ser talvez a de poder morrer mais facilmente. Mas, no fundo, o que fizeram os outros? Para os outros foi um dia mais ou menos como todos os demais.

— É, apenas um pouco mais frio — disse Drogo.

— Sim, um pouco mais frio — disse Ortiz. —Você também, tenente, podia ter ido com eles, bastava pedir.

Estavam sentados num banco de madeira, no terraço mais alto do quarto reduto. Ortiz fora procurar o tenente Drogo, que estava de serviço. A amizade entre os dois aumentava dia a dia.

Estavam sentados num banco, embrulhados nas capas, com os olhares perdidos em direção ao norte, onde se acumulavam grandes nuvens informes, carregadas de neve.

Soprava de vez em quando o vento setentrional, gelando a roupa no corpo. Os altos cumes rochosos, à direita e à esquerda do desfiladeiro, haviam se tornado negros.

— Acho que amanhã nevará até aqui, no forte — disse Drogo.

— É provável — respondeu o major, sem qualquer interesse, e calou-se.

— Vai nevar. Os corvos continuam passando — disse ainda Drogo.

— A culpa também é nossa — disse Ortiz, que perseguia um pensamento obstinado. — No fim, cabe-nos sempre aquilo que merecemos. Angustina, por exemplo, estava disposto a pagar caro; nós, ao contrário, não. Talvez a questão esteja toda nisso. Talvez nós pretendamos demasiado. Cabe-nos sempre o que merecemos, realmente.

— E então? — perguntou Drogo. — E então, o que deveríamos fazer?

— Ah, eu, nada — disse Ortiz, com um sorriso. — Esperei demais, mas você...

— Eu o quê?

— Vá enquanto é tempo, volte à cidade, adapte-se à guarnição. No fundo você não me parece o tipo que despreza os prazeres da vida. Fará melhor carreira que aqui, certamente. Nem todos nascemos para heróis.

Drogo calava-se.

— Você já deixou passar quatro anos — dizia Ortiz. — Obteve uma certa vantagem para contar tempo de carreira, vamos admitir, mas pense no quanto não lhe teria sido útil ficar na cidade. Foi arrancado do mundo, ninguém se lembra mais de você, volte enquanto é tempo.

De olhos fixos no chão, Giovanni escutava, emudecido.

— Já vi outros assim — continuou o major. — Aos poucos foram adquirindo os hábitos do forte, ficaram aprisionados aqui dentro, não foram mais capazes de se mexer. Velhos aos trinta anos, realmente.

— Acredito, senhor major, mas na minha idade... — disse Drogo.

— Você é jovem — prosseguiu Ortiz —, e continuará sendo por um bom tempo, é verdade. Mas eu não me fiaria nisso. Basta deixar passar mais dois anos, só mais dois anos, e voltar atrás lhe custará demasiado esforço.

— Agradeço-lhe — disse Drogo, que não ficara nada impressionado. — Mas no fundo, aqui no forte, pode-se esperar algo de melhor. Parecerá absurdo, no entanto, também o senhor, se está sendo sincero, deve confessar...

— Quem sabe, infelizmente — disse o major. — Todos, uns mais, outros menos, teimamos em esperar. Mas é um absurdo, basta refletir um pouco (e apontava o norte com a mão). Dessas bandas nunca mais poderá vir uma guerra. Agora então, depois da última experiência, quem você quer que ainda acredite nisso seriamente?

Assim dizia, e nesse ínterim pusera-se de pé, sempre olhando para o norte, como naquela longínqua manhã, na borda do planalto, em que Drogo o vira fitar, encantado, as muralhas enigmáticas do forte. Quatro anos haviam passado desde então, uma respeitável fração de vida, e nada, absolutamente nada acontecera que pudesse justificar tantas esperanças. Os dias haviam decorrido um após outro; soldados, que podiam ser inimigos, apareceram nas bordas da planície estrangeira, em seguida retiraram-se após inócuas operações fronteiriças. Reinava a paz no mundo, as sentinelas não davam o alarme, nada deixava pressentir que a existência pudesse vir a mudar. Como nos anos anteriores, com as mesmas formalidades, avançava agora o inverno, e os sopros da tramontana produziam, de encontro às baionetas, um fraco assobio. E lá está o major Ortiz, em pé no terraço do quarto reduto, incrédulo ante a sabedoria das próprias palavras, olhando uma vez mais para a terra do Norte, como se apenas ele tivesse realmente direito de olhá-la, apenas ele, o direito de continuar lá em cima, não importa com que finalidade, e Drogo, ao contrário, fosse um bom rapaz fora de lugar, que se enganara nos cálculos e teria feito melhor em voltar.

XVII

Até que afinal a neve sobre os terraços do forte amoleceu e os pés afundavam como na lama. O suave som das águas chegou repentinamente das montanhas mais próximas; aqui e ali, ao longo dos cumes, percebiam-se tiras brancas verticais que cintilavam ao sol, e os soldados, de vez em quando, surpreendiam-se cantarolando, como há meses não faziam.

O sol não corria mais como antes, ansioso por se esconder, mas começava a se deter um pouco no meio do céu, devorando a neve acumulada, e era inútil que as nuvens se precipitassem dos gelos do Norte: não conseguiam mais fazer neve, só chuva, e a chuva só fazia derreter a pouca neve que restava. Voltara a boa estação.

Já se ouviam de manhã vozes de pássaros que todos acreditavam ter esquecido. Em compensação, os corvos não estavam mais reunidos ali no planalto do forte, esperando os refugos das cozinhas, mas espalhavam-se pelos vales à procura de comida fresca.

De noite, nos dormitórios, as traves que sustentam as mochilas, as grades para os fuzis, as próprias portas, até os bonitos móveis de nogueira maciça do quarto do senhor coronel, todas as madeiras do forte, inclusive as mais velhas, estalavam no escuro. Às vezes eram estalos secos como tiros, parecia que algo estava realmente estilhaçando, alguém acordava na cama de lona e ficava à escuta: nada conseguia ouvir, porém, senão outros estalos, que ciciavam na noite.

É o tempo em que nas velhas tábuas ressuscita uma obstinada saudade da vida. Muitíssimos anos antes, nos dias felizes, era um fluxo juvenil de calor e de força, e dos ramos brotavam feixes de rebentos. Depois a planta fora abatida. E agora que é primavera, em cada um de seus fragmentos ainda desperta, infinitamente leve, um sopro de vida. Antes, folhas e flores: agora, uma vaga lembrança, o suficiente para fazer crac, e depois finda até o ano seguinte.

É o tempo em que os homens do forte começam a nutrir curiosos pensamentos que não têm nada de militar. Os muros não são mais um abrigo hospitaleiro, mas dão a impressão de cárcere. Seu aspecto despojado, as estrias enegrecidas dos escoamentos, os cantos oblíquos dos bastiões, sua cor amarela não correspondem de modo algum aos novos estados de espírito.

Um oficial — de costas não se pode saber quem seja, e poderia ser o próprio Giovanni Drogo — caminha entediado, na manhã de primavera, pelos vastos lavatórios da tropa, a essa hora desertos. Não tem inspeções ou controles a fazer; perambula assim, só para se movimentar; de resto, está tudo em ordem, os tanques limpos, o chão varrido e aquela torneira que vaza não é culpa dos soldados.

O oficial detém-se olhando para cima, para uma das altas janelas. As vidraças estão fechadas, há muitos anos provavelmente não têm sido lavadas e dos cantos pendem teias de aranha. Nada existe que conforte, de algum modo, o ânimo. No entanto, por trás das vidraças é possível enxergar algo que se assemelha a um céu. Aquele mesmo céu, pensa talvez o oficial, aquele mesmo sol ilumina a um só tempo os sórdidos lavatórios e certas pradarias distantes.

As pradarias são verdes, e ali acabaram de nascer pequenas flores de presumível cor branca. Também as árvores, tal como se espera, soltaram novas folhas. Bom seria cavalgar ao léu pelo campo. E se por uma estradinha, em meio às sebes, viesse uma moça bonita, e quando se passasse a cavalo a seu lado ela o cumprimentasse com um sorriso? Mas que ridículo: num oficial do forte Bastiani podem-se admitir pensamentos tão tolos?

Através da janela empoeirada do lavatório, ainda que possa parecer estranho, dá para ver até uma nuvem branca de formato agradável. Nuvens semelhantes navegam nesse momento sobre a cidade distante; pessoas que passeiam calmamente de vez em quando olham para elas, contentes de que o inverno tenha terminado, quase todos estão com roupas novas ou reformadas, as moças usam chapéus com flores e vestidos coloridos. Todos têm o ar satisfeito, como se esperassem coisas boas de um momento para outro. Antigamente pelo menos era assim, quem sabe se agora a moda é outra. E se numa sacada houvesse uma moça bonita e quando se passasse embaixo ela o cumprimentasse, sem nenhuma razão especial, cumprimentasse amavelmente com um sorriso? Coisas ridículas, no fundo, bobagens de colegial.

Através dos vidros sujos percebe-se, de esguelha, um pedaço de muro. Também está inundado de sol, mas não há alegria alguma nisso. É a parede de uma caserna, haver sol ou lua no muro é de fato indiferente, basta que não surjam obstáculos ao bom andamento do serviço. O muro de uma caserna e nada mais. No entanto, um dia, num longínquo setembro, o oficial ficara a olhá-lo como que fascinado; naquele tempo essas muralhas pareciam guardar para ele um severo mas invejável destino. Embora não tivesse conseguido achá-las bonitas, ele permanecera imóvel por alguns instantes, como diante de um prodígio.

Um oficial perambula pelos lavatórios desertos, outros estão de serviço nos vários redutos, outros cavalgam na esplanada arenosa, outros ocupam-se nos gabinetes. Ninguém consegue compreender bem o que aconteceu, mas os rostos dos outros dão nos nervos. "Sempre as mesmas caras", pensa instintivamente, "sempre as mesmas conversas, o mesmo serviço, os mesmos documentos." No entanto, fermentam tenros desejos, não é fácil estabelecer com exatidão o que se queria, certamente não essas muralhas, esses soldados, esses toques de clarim.

Corra, então, cavalinho, pela estrada da planície, corra antes que seja tarde, não pare, mesmo cansado, antes de ver os prados verdes, as árvores familiares, as habitações dos homens, as igrejas e os campanários.

E então adeus, forte, ficar ainda seria perigoso, seu mistério fácil desmoronou, a planície do norte continuará deserta, nunca mais os inimigos virão, nunca mais ninguém virá assaltar suas pobres muralhas.

Adeus, major Ortiz, melancólico amigo, que não é mais capaz de separar-se desse casarão; e como o senhor, muitos outros, que por demasiado tempo se obstinaram em esperar; o tempo foi mais rápido que vocês, e não podem mais recomeçar.

Giovanni Drogo, ao contrário, sim. Nenhum compromisso mais o retém no forte. Agora volta à planície, entra novamente no convívio dos homens, não será difícil que lhe deem algum encargo especial, talvez uma missão no exterior, na comitiva de um general. Nesses anos, enquanto ele estava no forte, decerto foram perdidas boas oportunidades, mas Giovanni ainda é jovem, resta-lhe todo o tempo possível para remediar.

Adeus, então, forte, com seus absurdos redutos, seus pacientes soldados, seu senhor coronel que toda manhã, sem dar na vista, perscruta com a luneta o deserto do setentrião, mas é inútil, não há mais nada. Um adeus ao túmulo de Angustina, talvez tenha sido o mais afortunado, ele ao menos morreu como verdadeiro soldado, melhor, de qualquer modo, que no provável leito de um hospital. Um adeus ao seu quarto, afinal Drogo dormiu ali honestamente centenas de noites. Um outro adeus ao pátio onde essa tarde também, com as formalidades de sempre, enfileiram-se as guardas escaladas para o serviço. O último adeus à planície do norte, já agora vazia de ilusões.

Não pense mais nisso, Giovanni Drogo, não se vire para trás, agora que chegou à borda do planalto e a estrada está para mergulhar no vale. Seria uma tola fraqueza. Você conhece, pedra por pedra, o forte

Bastiani, certamente não corre o risco de esquecê-lo. O cavalo trota alegremente, o dia está bom, o ar, morno e leve, a vida à frente é longa, como que ainda por começar; que necessidade haveria de dar uma última olhadela nas muralhas, nas casamatas, nas sentinelas de turno na borda dos redutos? Assim uma página lentamente é virada, passada para o outro lado, acrescenta-se a outras já findas, por hora é apenas uma leve camada; as que falta ler são, em comparação, um monte inesgotável. Mas é sempre uma outra página gasta, senhor tenente, uma porção de vida que se foi.

Da beira da pedregosa esplanada, Drogo de fato não se volta para olhar, sem a menor sombra de hesitação esporeia o cavalo pela descida abaixo, não faz menção de virar a cabeça nem mesmo um centímetro, assobia uma canção com alguma desenvoltura, embora isso lhe custe esforço.

XVIII

A porta de casa foi aberta, e Drogo sentiu logo o antigo cheiro familiar como quando, menino, retornava à cidade após os meses de verão na casa de campo. Era um cheiro doméstico e amigo, contudo, após tanto tempo, vinha à tona agora algo de mesquinho. Lembrava-lhe, é verdade, os anos distantes, a doçura de certos domingos, os jantares alegres, a infância perdida, mas falava também de janelas fechadas, de tarefas, de limpeza matutina, de doenças, de brigas, de ratos.

— Ah, patrãozinho! — gritou-lhe exultante a boa Giovanna, que lhe abrira a porta. E logo veio a mãe; graças a Deus, não mudada ainda.

Sentado na sala de estar, enquanto tentava responder às muitas perguntas, sentia a felicidade transformar-se em indolente tristeza. A casa parecia-lhe vazia em comparação ao que fora antes. Dos irmãos, um fora para o exterior, outro estava viajando sabe-se lá por onde, o terceiro estava no campo. Restava apenas a mãe, e também ela, dali a pouco, precisou sair para ir à igreja, onde a esperava uma amiga.

Seu quarto permanecera idêntico, assim como o deixara, nem um livro fora deslocado. Porém, pareceu-lhe alheio. Sentou-se na poltrona, escutou os rumores dos carros na rua, o intermitente vozerio que vinha da cozinha. Deixou-se ficar só no quarto, a mãe rezava na igreja, os irmãos estavam longe, todo mundo vivia então sem ter necessidade nenhuma de Giovanni Drogo. Abriu uma janela, viu as casas cinzentas, telhado atrás de telhado, o céu caliginoso. Procurou numa gaveta os velhos cadernos de escola, um diário que mantivera por anos, algumas cartas; espantou-se por ter escrito aquelas coisas, nem se lembrava delas, tudo se referia a fatos estranhos e esquecidos. Sentou-se ao piano, ensaiou um acorde, tornou a baixar a tampa do teclado. "E agora?", perguntava-se.

Estrangeiro, perambulou pela cidade, à procura dos velhos amigos, soube que estavam ocupadíssimos com seus negócios, em grandes empresas, na carreira política. Falaram-lhe de coisas sérias e importantes, fábricas, estradas de ferro, hospitais. Um deles convidou-o para almoçar, outro tinha se casado, todos haviam tomado caminhos diferentes e, em quatro anos, já se haviam distanciado. Por mais que tentasse (mas também ele talvez não fosse mais capaz), não conseguia fazer renascer as conversas de antigamente, as brincadeiras, os modos de falar. Perambulava pela cidade à procura dos velhos amigos — e tinham sido muitos

—, mas acabava por achar-se sozinho numa calçada, com muitas horas vazias antes de a noite chegar.

À noite ficava fora de casa até tarde, resolvido a se divertir. Cada vez saía com as habituais, vagas esperanças juvenis de amor, e cada vez voltava desiludido. Começou a odiar a rua que o conduzia solitário de volta a casa, sempre igual e deserta.

Houve, naquela época, um grande baile, e Drogo, entrando no palacete em companhia do amigo Vescovi, o único que reencontrara, sentia-se na melhor das disposições de espírito. Embora já fosse primavera, a noite seria longa, um espaço de tempo quase ilimitado; antes do amanhecer podiam acontecer muitas coisas, o que, exatamente, Drogo não estava em condições de especificar, mas certamente o aguardavam várias horas de prazer incondicional. Tinha, de fato, começado a flertar com uma jovem vestida de roxo ainda não soara meia-noite, e quem sabe antes de o dia chegar nasceria o amor; foi quando o dono da casa o chamou para mostrar-lhe detalhadamente o palacete, arrastou-o por certos labirintos e recantos, manteve-o relegado à biblioteca, obrigou-o a examinar peça por peça uma coleção de armas, falou-lhe de questões estratégicas, de piadas militares, de anedotas da casa real, e o tempo nesse ínterim passava, os relógios se tinham posto a correr assustadoramente. Quando Drogo conseguiu se livrar, ansioso por voltar ao baile, as salas já estavam quase vazias, a jovem vestida de roxo desaparecera, provavelmente voltara para casa.

Inutilmente Drogo tentou beber, inutilmente riu sem motivo, nem mesmo o vinho lhe apetecia mais. E a música dos violinos tornava-se cada vez mais fraca, num certo momento eles soaram literalmente em vão, visto que ninguém mais dançava. Drogo encontrou-se, com a boca amarga, entre as árvores do jardim, ouvindo ecos incertos de uma valsa, enquanto a magia da festa se desfazia e o céu se tornava lentamente descorado, com a proximidade da manhã.

Empalidecendo as estrelas, Drogo ficou entre as negras sombras vegetais, vendo surgir o dia, enquanto uma a uma as carruagens douradas se afastavam do palacete. Agora também os músicos silenciaram, e um criado ia andando pelas salas, para diminuir as luzes. De uma árvore, bem acima de Drogo, chegou, agudo e vívido, o gorjeio de um passarinho. O céu tornava-se aos poucos mais claro, tudo repousava silencioso na espera confiante de um bom dia. "Nesta hora", pensou Drogo, "os primeiros raios de sol já terão atingido os bastiões do forte e as sentinelas friorentas." Seu ouvido esperou inutilmente por um toque de clarim.

Atravessou a cidade adormecida, ainda imersa em sono, abriu com exagerado ruído o portão de casa. Dentro, um pouco de luz já se filtrava pelas frestas das persianas.

— Boa noite, mãe — disse ele, passando no corredor, e do quarto, por trás da porta, pareceu-lhe que, como de hábito, como nos dias distantes quando voltava a casa noite alta, um som confuso lhe respondia, uma voz amável, ainda que gotejante de sono. E continuou como que apaziguado em direção ao próprio quarto, quando percebeu que ela falava. — O que foi, mãe? — perguntou no vasto silêncio. No mesmo instante compreendeu ter confundido o rodar de uma carruagem distante com a voz querida. Na verdade, a mãe não havia respondido, os passos noturnos do filho não mais podiam acordá-la como antigamente, haviam-se tornado estranhos, como se com o tempo o seu som tivesse mudado.

Antigamente seus passos chegavam-lhe no sono como um chamado. Todos os demais ruídos da noite, ainda que muito mais fortes, não eram suficientes para acordá-la, nem os carros rua abaixo, nem o choro de uma criança, nem os latidos dos cães, nem as corujas, nem a persiana batendo, nem o vento pelos beirais, nem a chuva ou o estalo dos móveis. Somente o passo dele a acordava, não porque fosse barulhento (Giovanni, aliás, andava na ponta dos pés). Sem nenhuma razão especial, apenas porque ele era seu filho.

Mas agora não acontecia mais nada disso. Agora ele havia cumprimentado a mãe como antigamente, com a mesma inflexão de voz, certo de que com o ruído familiar de seus passos ela acordaria. Pelo contrário, ninguém lhe respondera, além do rodar da longínqua carruagem. "Uma besteira", pensou, "uma ridícula coincidência, podia mesmo acontecer." No entanto, restava-lhe, enquanto se dispunha a deitar-se na cama, uma impressão amarga, como se o afeto de outrora tivesse sido embaciado, como se entre ambos o tempo e a distância tivessem lentamente estendido um véu de separação.

XIX

Depois foi encontrar-se com Maria, a irmã do amigo Francesco Vescovi. A casa deles possuía um jardim, e como era primavera as árvores estavam com folhas novas, nos galhos cantavam passarinhos.

Maria foi recebê-lo à porta, sorrindo. Ficara sabendo que ele vinha e pusera um vestido azul, apertado na cintura, parecido com outro que num dia distante lhe agradara.

Drogo pensara que para ele seria emocionante, que seu coração bateria forte. Quando, porém, chegou perto dela e reviu seu sorriso, quando ouviu o som de sua voz que dizia: "Ah, até que enfim, Giovanni!" (tão diferente do que imaginara), teve a medida do tempo passado.

Ele era o mesmo de antigamente — achava —, talvez um pouco mais largo de ombros e bronzeado pelo sol do forte. Ela também não mudara. Mas alguma coisa se intrometera entre ambos.

Entraram na grande sala de estar, porque fora fazia muito sol; a sala estava mergulhada numa doce penumbra, uma réstia de sol resplendia no tapete, e num relógio as horas caminhavam.

Sentaram-se num sofá, de viés, para poderem se ver. Drogo fitava-a nos olhos sem encontrar as palavras, mas ela passeava os olhos com vivacidade ao redor, um pouco sobre ele, um pouco sobre os móveis, um pouco em sua pulseira de turquesas que parecia nova em folha.

— Francesco voltará daqui a pouco — disse Maria alegremente. — Enquanto isso você ficará um pouco comigo, deve ter muitas coisas para contar!

— Ah — disse Drogo —, nada de especial na verdade, é sempre a...

— Mas por que está me olhando assim? — perguntou ela. — Acha que estou tão mudada?

Não, Drogo não achava que mudara, estava antes surpreso de que uma moça, em quatro anos, não apresentasse nenhuma mudança visível. No entanto, ele tinha uma sensação de desilusão e de frio. Não conseguia recobrar o tom de antigamente, quando se falavam como irmãos e podiam caçoar de tudo sem se magoar. Por que ela estava tão composta no sofá e falava com tão pouco abandono? Deveria puxá-la por um braço, dizer-lhe: "Ficou louca? O que lhe deu na cabeça para posar assim de senhora?" O gélido encanto ter-se-ia desfeito.

Mas Drogo não se sentia capaz disso. À sua frente estava uma pessoa diferente e nova, cujos pensamentos ele desconhecia. Ele mesmo, talvez, não fosse mais aquele de antigamente, e foi o primeiro a falsear o tom.

— Mudada? — respondeu Drogo. — Não, não, absolutamente.

— Ah, você diz isso porque acha que fiquei feia, não é? Diga-me a verdade!

Era Maria mesmo quem falava? Não estava brincando? Quase incrédulo, Giovanni escutava suas palavras e a todo instante esperava que ela jogasse fora aquele elegante sorriso, aquela postura suave, e desse uma gargalhada.

"Feia, sim, acho você feia", responderia Giovanni nos bons tempos, passando-lhe um braço na cintura, e ela se aconchegaria a ele. Porém, agora teria sido absurdo, uma brincadeira de mau gosto.

— Mas não, claro que não — respondeu Drogo. — Você continua a mesma, juro.

Ela o fitou com um sorriso pouco convencido e mudou de assunto.

— E agora, diga-me, veio para ficar?

Era a pergunta que ele previra ("Depende de você", pensara em responder, ou algo no gênero). Ele porém a esperara antes, no momento do encontro, como teria sido natural, se ela ligasse realmente para isso. Agora, ao contrário, viera-lhe quase de supetão, e era uma coisa diferente, uma pergunta como que de conveniência, sem subentendidos sentimentais.

Houve um lapso de silêncio, na sala em penumbra, aonde chegavam, do jardim, cantos de pássaros, e de um aposento, ao longe, acordes de piano, lentos e mecânicos, de alguém que estudava.

— Não sei, por enquanto não sei. Tirei uma licença — disse Drogo.

— Só uma licença? — repetiu logo Maria, e houve na sua voz uma vibração sutil que podia ser mero acaso, desilusão ou mesmo verdadeira dor. Mas algo realmente se intrometera entre eles, um véu indefinido e vago que não queria se dissipar; talvez houvesse crescido lentamente, durante a longa separação, dia após dia, afastando-os, sem que nenhum dos dois soubesse.

— Dois meses. Depois talvez deva voltar, talvez vá para outro lugar, quem sabe aqui mesmo, na cidade — explicou Drogo. A conversa já estava se tornando penosa, a indiferença tomara conta dele.

Calaram-se ambos. A tarde pairava sobre a cidade, os pássaros haviam emudecido, ouviam-se apenas os longínquos acordes do piano, tristes e metódicos, que iam subindo, subindo, enchiam a casa inteira, e havia naquele som uma espécie de fadiga obstinada, algo difícil de exprimir, que nunca se consegue dizer.

— É a filha dos Micheli, no andar de cima — disse Maria, ao perceber que Giovanni ouvia.

—Você tocava essa música antigamente, não é?

Maria inclinou graciosamente a cabeça como para ouvir também.

— Não, não, essa é muito difícil, você deve tê-la ouvido em outro lugar.

Drogo disse:

— Parecia...

O piano tocava com o mesmo pesar de antes. Giovanni olhava a réstia de sol no tapete, pensava no forte, imaginava a neve derretendo, o gotejar sobre os terraços, a pobre primavera da montanha, que conhece apenas pequenas flores nos prados e perfumes de feno ceifado, transportados pelo vento.

— Mas agora vai pedir transferência, não? — recomeçou a moça. — Depois de tanto tempo, bem que merecia. Deve ser muito aborrecido lá em cima! — Disse as últimas palavras com uma leve ira, como se o forte lhe fosse odioso.

"Um pouco aborrecido, talvez; na verdade prefiro estar aqui com você." Essa mísera frase relampejou na mente de Drogo como uma corajosa possibilidade. Era banal, porém talvez bastasse. Mas de repente todo o desejo se apagou, Giovanni pensou com desgosto no quanto seriam ridículas essas palavras pronunciadas por ele.

— É, sim — disse, então. — Mas os dias passam tão depressa!

Ouvia-se o som do piano, mas por que aqueles acordes continuavam a subir sem nunca terminar? Escolasticamente despojados, repetiam com resignada indiferença uma velha história querida. Falavam de uma noite de neblina entre os lampiões da cidade, e deles dois, que caminhavam sob as árvores desnudas, pela alameda deserta, repentinamente felizes, de mãos dadas como crianças, sem saber por quê. Naquela noite, também, lembrava-se, havia pianos que tocavam nas casas, as notas saíam pelas janelas iluminadas; embora fossem provavelmente exercícios maçantes, Giovanni e Maria nunca tinham ouvido músicas mais suaves e humanas.

— É claro que — acrescentou Drogo, caçoando — lá em cima não há grandes diversões, mas a gente logo se acostuma...

A conversa, na sala que cheirava a flores, parecia adquirir lentamente uma tristeza poética, amiga das confissões de amor. "Quem sabe", pensava Giovanni, "este primeiro encontro, após tão longa separação, não podia ser diferente, talvez possamos nos reencontrar, tenho dois meses de folga, assim de repente não se pode julgar, pode ser que ela ainda me queira bem e que eu não volte ao forte." Mas a moça disse:

— Que pena! Viajo com mamãe e Giorgina dentro de três dias, ficaremos fora alguns meses, acho. — A ideia a animava alegremente. —Vamos à Holanda.

— À Holanda?

A moça agora falava da viagem, entusiasmada, dos amigos com quem partiria, de seus cavalos, das festas que houvera no carnaval, de sua vida, de suas companheiras, esquecida de Drogo. Agora sentia-se completamente à vontade e parecia mais bonita.

— Uma ideia magnífica — disse Drogo, que sentia um nó amargo apertar-lhe a garganta. — Esta é a melhor estação na Holanda, ouvi dizer. Dizem que há planícies inteiras floridas de tulipas.

— Ah, sim, deve ser muito bonito — concordava Maria.

— Em vez de trigo, cultivam rosas — prosseguia Giovanni, com uma leve ondulação na voz —, milhões e milhões de rosas a perder de vista, e acima veem-se os moinhos de vento, todos recém-pintados de cores vivas.

— Recém-pintados? — perguntou Maria, que começava a entender a brincadeira. — O que está querendo dizer?

— É o que dizem — respondeu Giovanni. — Li num livro também.

A réstia de sol, percorrido todo o tapete, subia agora progressivamente ao longo dos entalhes de uma escrivaninha. A tarde já morria, a voz do piano tornara-se fraca; fora, no jardim, um passarinho solitário recomeçava a cantar. Drogo fitava os suportes de lenha da lareira, exatamente idênticos a um par que havia no forte; a coincidência dava-lhe um fraco consolo, como se isso demonstrasse que, no fim, forte e cidade eram um mundo só, com hábitos iguais de vida.

Além dos suportes, porém, Drogo nada mais conseguira descobrir em comum.

— Deve ser bonito, sim — disse Maria, baixando os olhos. — Mas agora, que estou prestes a partir, perdi a vontade.

— Bobagem, acontece sempre assim no último instante, é tão desagradável fazer as malas... — disse Drogo de propósito, como se não tivesse entendido a alusão sentimental.

— Ah, não é pelas malas, não é por isso...

Teria bastado uma palavra, uma simples frase, para dizer-lhe que sua partida o entristecia. Mas Drogo não quis perguntar nada, naquele momento não conseguiria realmente, iria parecer uma coisa falsa. Por isso calou-se, com um sorriso vago.

— Vamos ao jardim, um pouco? — propôs finalmente a moça, não sabendo mais o que dizer. — O sol já deve ter se posto.

Levantaram-se do sofá. Ela calava, como que à espera de que Drogo falasse, e olhava-o talvez com um resto de amor. Mas o pensamento de Drogo, à vista do jardim, voou para os magros prados que contornavam o forte, também lá estava para chegar a suave estação, o mato corajoso despontava entre as pedras. Nessa mesma época, havia centenas de anos, talvez tivessem chegado os tártaros. Drogo disse:

— Está fazendo bastante calor para abril. Verá que vai chover de novo.

Disse exatamente isso, e Maria deu um pequeno sorriso desolado.

— Sim, está fazendo muito calor — respondeu com voz átona, e ambos perceberam que tudo terminara. Agora estavam novamente distantes, entre eles se abria um vazio, em vão esticavam as mãos para se tocarem, e a cada instante a distância aumentava.

Drogo sabia que ainda queria bem a Maria e gostava de seu mundo: mas todas as coisas que alimentavam sua vida de antigamente tinham se tornado remotas; um mundo alheio, em que seu lugar fora facilmente ocupado. E agora já o examinava de fora, ainda que com saudade; reentrar nele o deixaria constrangido, caras novas, hábitos diferentes, novas brincadeiras, novos modos de falar, aos quais não estava acostumado. Aquela não era mais a sua vida, ele tomara outro rumo, voltar atrás teria sido tolo e vão.

Como Francesco não chegasse, Drogo e Maria despediram-se com exagerada cordialidade, cada um fechando em si os pensamentos secretos. Maria apertou-lhe a mão com força, fitando-o nos olhos, um convite talvez a não partir desse modo, a perdoá-la, a retomar aquilo que agora estava perdido.

Também ele a fitou e disse:

— Adeus; antes de sua partida espero que nos vejamos de novo. — Depois saiu sem se virar para trás, com passos marciais, até o portão de entrada, fazendo estalar no silêncio o cascalho da alameda.

XX

Quatro anos de forte bastavam para dar, por tradição, o direito a uma nova colocação, mas Drogo, para evitar uma guarnição distante e permanecer em sua cidade, solicitou igualmente uma entrevista em caráter particular com o comandante da divisão. Aliás, fora a mãe quem insistira nessa entrevista; dizia que era preciso mostrar-se para não ser preterido; espontaneamente ninguém cuidaria dele, Giovanni, se ele não se mexesse; e acabaria por lhe caber uma outra triste guarnição de fronteira. Foi a mãe, também, quem cuidou, através de amigos, para que o general recebesse o filho com benevolência.

O general estava num imenso gabinete, sentado atrás de uma mesa, fumando um charuto; e era um dia qualquer, talvez de chuva, talvez apenas encoberto. O general era um velhote e fitou benignamente o tenente Drogo através do monóculo.

— Desejava vê-lo — disse de imediato, como se tivesse sido ele a querer a entrevista. — Desejava saber como vão as coisas lá em cima. Filimore, sempre bem?

— Quando o deixei, o senhor coronel estava muito bem, Excelência — respondeu Drogo.

O general calou-se por um momento. Depois sacudiu a cabeça paternalmente:

— É, vocês lá do forte nos deram umas belas dores de cabeça! Pois é... Pois é... Aquele episódio das fronteiras. A história daquele tenente, agora não me lembro o seu nome, é claro que desagradou muito a Sua Alteza.

Drogo permanecia calado, não sabendo o que dizer.

— Pois é, aquele tenente... — continuava o general, monologando. — Como se chamava? Um nome como Arduíno, parece-me.

— Chamava-se Angustina, Excelência.

— Pois é, Angustina, ah, que cabeça-dura! Por uma tola obstinação, comprometer a linha de fronteira... Não sei como... Bem, vamos deixar para lá!... — concluiu bruscamente, para demonstrar a própria generosidade.

— Permita-me, Excelência — ousou observar Drogo. — Mas Angustina é aquele que morreu.

— Pode ser, deve ser isso, você deve ter razão, agora não me lembro direito — disse o general, como se fosse um detalhe sem a menor importância. — Mas a coisa desagradou muito a Sua Alteza, muito mesmo!

Calou-se e ergueu os olhos interrogativos para Drogo.

—Você veio aqui — disse num tom diplomático, cheio de subentendidos. — Então você veio aqui para ser transferido para a cidade, não é mesmo? Todos vocês têm a mania da cidade, só têm, e não entendem que é justamente nas guarnições distantes que se aprende a ser militar.

— Sim, Excelência — disse Giovanni Drogo, tentando controlar as palavras e o tom. — De fato já completei quatro anos...

— Quatro anos na sua idade! O que quer que sejam?... — retrucou rindo o general. — De qualquer modo, eu não o reprovo... Dizia que, como tendência genérica, não é talvez a melhor coisa para reforçar o espírito dos elementos de comando...

Interrompeu-se, como se tivesse perdido o fio da meada. Concentrou-se um pouco, recomeçou:

— De qualquer modo, caro tenente, tentaremos satisfazê-lo. Agora vamos pedir sua pasta.

À espera dos documentos, o general recomeçou:

— O forte... — disse — o forte Bastiani, vamos ver um pouco... Sabe, tenente, qual é o ponto fraco do forte Bastiani?

— Não saberia dizer, Excelência — disse Drogo. — Talvez seja um pouco isolado demais.

O general deu um benévolo sorriso de compaixão.

— Que ideias estranhas têm vocês, jovens — disse. — Um pouco isolado demais! Confesso-lhe que isso nunca me passaria pela cabeça. O ponto fraco do forte, quer que lhe diga? É que tem muita gente, gente demais!

— Gente demais?

— E justamente por isso — continuou o general, sem relevar a interrupção do tenente —, justamente por isso decidiu-se mudar o regulamento. A propósito, o que acham disso os do forte?

— Do quê, Excelência? Desculpe.

— Mas estamos falando disso! Do novo regulamento, eu lhe disse — repetiu o general, irritado.

— Nunca ouvi dizer, realmente nunca... — respondeu Drogo, atônito.

— Pois é, talvez a comunicação oficial não tenha sido feita — admitiu, mais calmo, o general —, mas pensei que soubesse, do mesmo modo; em geral, os militares são mestres em saber das coisas com antecedência.

— Um novo regulamento, Excelência? — perguntou Drogo, já curioso.

— Um corte nos quadros, a guarnição reduzida quase à metade — disse bruscamente o outro. — Gente demais, eu sempre disse; era preciso agilizar esse forte!

Nesse instante entrou o ajudante-mor trazendo um grosso maço de pastas. Folheou-as em cima de uma mesa, tirou fora uma, a de Giovanni Drogo, entregando-a ao general, que a percorreu com olhos de conhecedor.

— Tudo bem — disse. — Mas falta aqui, parece-me, o pedido de transferência.

— O pedido de transferência? — perguntou Drogo. — Pensei que não fosse preciso, após quatro anos.

— Geralmente, não — disse o general, evidentemente aborrecido de ter que dar explicações a um subalterno. — Mas como desta vez se trata de uma grande redução de pessoal, e todos querem sair, é preciso obedecer à precedência.

— Mas ninguém sabe disso no forte, Excelência, ninguém ainda fez o pedido...

O general virou-se para o ajudante-mor:

— Capitão — perguntou —, já temos pedidos de transferência do forte Bastiani?

— Uns vinte, acho, Excelência — respondeu o capitão.

"Que brincadeira!", pensou Drogo, aniquilado. Os companheiros evidentemente tinham-lhe escondido a coisa para poder passar na frente. Até mesmo Ortiz o enganara tão rasteiramente?

— Desculpe, Excelência, se insisto — ousou Drogo, que sabia o quanto a questão era decisiva. — Mas parece-me que ter prestado serviço por quatro anos ininterruptos devia ter mais peso do que uma simples precedência formal.

— Seus quatro anos não são nada, caro tenente — rebateu o general, frio, quase ofendido —, não são nada em comparação a tantos outros que já estão lá em cima a vida inteira. Posso considerar seu caso com a maior benevolência, posso favorecer uma justa aspiração sua, mas não posso faltar com a justiça. É necessário também calcular os títulos de mérito...

Giovanni empalidecera.

— Mas então, Excelência — perguntou, quase gaguejando —, então estou arriscado a passar a vida inteira lá?

— ...calcular os títulos de mérito — continuou, imperturbável, o outro, folheando sempre os documentos de Drogo. — E estou vendo aqui, por exemplo, onde meus olhos bateram, uma "advertência regulamentar". A "advertência regulamentar" não é uma coisa grave... — e continuava a ler —, mas aqui está um caso bastante desagradável, acho, uma sentinela morta por engano...

— Infelizmente, Excelência, eu não...

— Não posso dar ouvidos às suas justificativas, o senhor sabe muito bem, caro tenente — disse o general, interrompendo-o. — Estou lendo apenas o que está escrito em seu relatório e até admito que se trate de pura desgraça, pode perfeitamente acontecer... mas há colegas seus que souberam evitar tais desgraças... Estou disposto a fazer o possível, concordei em recebê-lo pessoalmente, veja o senhor, mas agora... Só se o senhor tivesse feito o pedido há um mês... Estranho que não tenha sido informado... Uma notável desvantagem, realmente.

O tom inicial de boa vontade desaparecera. Agora o general falava com uma leve nuance aborrecida e zombeteira, oscilando catedraticamente a voz. Drogo viu que tinha feito papel de bobo, viu que os companheiros o tinham passado para trás, que o general devia ter dele uma impressão bastante negativa e que não havia mais nada a fazer. A injustiça ardia-lhe no peito, do lado do coração. "Poderia até sair, pedir baixa", pensou, "de qualquer modo não vou morrer de fome, sou jovem ainda."

O general fez-lhe um aceno familiar com a mão:

— Bem, adeus, tenente, e anime-se.

Drogo enrijeceu-se em posição de sentido, bateu os saltos, afastou-se para trás em direção da porta, na soleira fez um derradeiro cumprimento.

XXI

O passo de um cavalo remonta o vale solitário e, no silêncio das gargantas, produz um amplo eco, as moitas em cima dos rochedos não se movem, parados estão os matos amarelados, até as nuvens atravessam o céu com particular lentidão. O passo do cavalo sobe devagar pela estrada branca, é Giovanni Drogo que retorna.

É exatamente ele, agora que se aproximou pode ser reconhecido, e no seu rosto não se vê nenhuma dor especial. Não se revoltou; portanto, não pediu baixa, engoliu as injustiças sem abrir a boca, e está de volta ao posto de sempre. No íntimo, existe até a tímida satisfação de ter evitado bruscas mudanças de vida, de poder entrar de novo tal e qual na velha rotina. Ilude-se com uma gloriosa desforra a longo prazo, acredita possuir ainda uma imensidão de tempo disponível, renuncia desse modo à mesquinha luta pela vida cotidiana. "Chegará o dia em que todas as contas serão generosamente ajustadas", pensa.

Mas enquanto isso os outros passam à frente, avidamente apertam o passo para serem os primeiros, ultrapassam Drogo na corrida, sem sequer ligar para ele, deixando-o para trás. Ele os vê desaparecer ao longe, perplexo, tomado de dúvidas insólitas: e se realmente estivesse errado? Se fosse um homem comum, a quem por direito não cabe senão um destino medíocre?

Giovanni Drogo subia ao forte solitário como naquele dia de setembro, um dia distante. Só que agora, do outro lado do vale, não avançava nenhum outro oficial, e na ponte, onde as duas estradas se juntavam, o capitão Ortiz não vinha mais ao seu encontro.

Dessa vez Drogo seguia sozinho, e enquanto isso meditava sobre a vida. Voltava ao forte para ali permanecer sabe-se lá quanto tempo ainda, justamente nos dias em que muitos companheiros o deixavam para sempre. "Os companheiros tinham sido mais espertos", pensava Drogo, mas não se excluía que fossem realmente melhores: podia também ser essa a explicação.

Quanto mais passara o tempo, mais o forte perdera importância. Noutros tempos talvez tivesse sido uma guarnição importante, ou, pelo menos, era considerado como tal. Agora, com a força reduzida pela metade, era apenas uma barreira de segurança, estrategicamente excluída de qualquer plano de guerra. Era mantido unicamente para não deixar a fronteira desguarnecida. Da planície do norte não se admitia a eventualidade de nenhuma ameaça, no máximo podia aparecer no desfiladeiro alguma caravana de nômades. O que se tornaria a vida lá em cima?

Meditando nessas coisas, Drogo atingiu, à tarde, a beira do último planalto e deu com o forte à sua frente. Ele não mais encerrava, como da primeira vez, inquietantes segredos. Não passava realmente de uma caserna fronteiriça, um casarão ridículo; as muralhas não resistiriam a não ser por poucas horas aos canhões de modelo recente. Com o passar do tempo seria abandonado à ruína, algumas ameias já haviam caído e um terrapleno desfazia-se em escombros, sem que ninguém mandasse consertá-lo.

Assim pensava Drogo, parado na borda do planalto, observando as sentinelas de sempre andarem de um lado para outro, no beiral das muralhas. A bandeira sobre o telhado pendia frouxa, nenhuma chaminé fumegava, não havia vivalma sobre a esplanada nua.

Que tédio de vida, agora... Provavelmente o alegre Morel teria partido entre os primeiros, praticamente não sobraria nenhum amigo para Drogo. E depois, sempre o mesmo serviço de guarda, as habituais partidas de baralho, as habituais escapadelas ao povoado mais próximo para beber um trago e fazer amor mediocremente. "Que miséria!", pensava Drogo.

No entanto, um resto de encanto vagava ao longo dos perfis dos redutos amarelos, um mistério teimava em reinar nos cantos dos fossos, à sombra das casamatas, uma sensação inexprimível de coisas futuras.

No forte topou com muitas mudanças. Na iminência de tantas partidas, reinava por toda parte grande animação. Não se sabia ainda quem eram os destinados a partir, e os oficiais, que haviam quase todos pedido transferência, viviam em ansiosa espera, esquecendo os cuidados de antigamente. Até Filimore — dava-se como certo — devia deixar o forte, e isso contribuía para perturbar o ritmo do serviço. A inquietação estendera-se até os soldados, devendo uma grande parte das companhias, ainda não fixada, descer à planície. Os turnos de guarda eram cumpridos a contragosto, frequentemente na hora da mudança os destacamentos não estavam prontos, em todos havia a convicção de que tantas precauções eram tolas e inúteis.

Era evidente que as esperanças de outrora, as ilusões guerreiras, a espera do inimigo do Norte não passavam de um pretexto para dar um sentido à vida. Agora que havia a possibilidade de regressar ao convívio civil, aquelas histórias pareciam brincadeiras de criança, ninguém queria admitir ter acreditado naquilo nem se hesitava em rir de tudo. O que importava era partir. Cada um dos colegas de Drogo pusera em movimento influentes amizades para obter a preferência; no íntimo, cada um estava convencido de que ia conseguir.

— E você? — perguntavam a Giovanni, com vaga simpatia, os companheiros que lhe haviam ocultado a grande novidade para passar à sua frente e ter um concorrente a menos. — E você? — perguntavam.

— Eu provavelmente deverei permanecer aqui mais alguns meses — respondia Drogo. E os outros se apressavam a encorajá-lo: também ele, puxa vida, seria transferido, era mais do que justo, não devia ser tão pessimista, e coisas desse gênero.

Somente Ortiz, entre todos, não parecia mudado. Ortiz não pedira para partir, havia vários anos não se interessava mais pelo assunto, a notícia de que a guarnição seria reduzida chegara a ele depois dos outros e por isso não tivera tempo de avisar Drogo. Ortiz assistia, indiferente, à nova efervescência, ocupava-se com o zelo de sempre dos serviços do forte.

Até que as partidas começaram realmente. No pátio houve um contínuo rodar de carros que embarcavam material de quartel, e, por turnos, enfileiravam-se as companhias para a despedida. O coronel, a cada vez, descia do gabinete para passá-las em revista, dizia aos soldados palavras de adeus, sua voz era imóvel e apagada.

Oficiais que ali tinham vivido muitos anos, que por centenas de dias haviam perscrutado as solidões do Norte pelos bastiões dos redutos, que costumavam travar intermináveis discussões sobre a probabilidade ou não de um ataque repentino do inimigo, muitos desses oficiais partiam com a cara alegre, piscando de modo insolente aos companheiros que ficavam, afastavam-se rumo ao vale, ousadamente retos na sela, no comando de seus destacamentos, e sequer viravam a cabeça para olhar pela última vez seu forte.

Somente Morel, quando numa manhã de sol, no centro do pátio, apresentou seu pelotão que partia ao coronel comandante, e abaixou o sabre como despedida, somente seus olhos brilharam, e sua voz, ao dar as ordens, tremeu. Drogo, encostado a um muro, observava a cena, e sorriu amigavelmente quando o companheiro a cavalo atravessou-lhe a frente, dirigindo-se à saída. Talvez fosse a última vez que se viam.

Giovanni levou a mão direita à viseira do quepe, fazendo a saudação regulamentar.

Em seguida entrou nos saguões do forte, frios mesmo no verão, que dia após dia se tornavam mais desertos. Ao pensar que Morel partira, a ferida da injustiça sofrida reabrira de repente e doía-lhe. Giovanni foi à procura de Ortiz e o encontrou saindo de seu gabinete, com um maço de papéis. Alcançou-o, pôs-se ao lado dele:

— Bom dia, senhor major.

— Bom dia, Drogo — respondeu Ortiz, detendo-se. — Algo de novo? Deseja alguma coisa de mim?

De fato, Drogo queria perguntar-lhe algo. Era um assunto vago, sem a menor urgência, mas que apertava seu coração havia alguns dias.

— Desculpe, senhor major — disse. — O senhor se lembra de que quando cheguei ao forte, há quatro anos e meio, o major Matti me disse que aqui ficavam apenas os voluntários? Que se alguém quisesse partir teria toda a liberdade para isso? O senhor se lembra do que lhe contei? De acordo com Matti, bastava que eu pedisse um exame médico, somente para ter um pretexto formal, só dizia que isso aborreceria um pouco o coronel.

— Sim, lembro-me vagamente — disse Ortiz, com uma levíssima sombra de enfado. — Mas desculpe-me, caro Drogo, eu agora...

— Um minuto, senhor major... Lembra-se de que, para não fazer algo importuno, sujeitei-me a ficar quatro meses? Mas que, se quisesse, podia partir, não é verdade?

Ortiz disse:

— Compreendo, caro Drogo, mas você não é o único...

— Então — interrompeu-o Giovanni, exaltado —, então tudo aquilo era conversa fiada? Então não era verdade que, se eu quisesse, podia partir? Tudo conversa fiada para manter-me quieto?

— Ah — disse o major. — Não acredito... Tire isso da cabeça!

— Não me diga que não, senhor major — replicou Giovanni. — Está querendo dizer que Matti dizia a verdade?

— Também a mim aconteceu o mesmo, mais ou menos — disse Ortiz, baixando os olhos, embaraçado. — Eu também pensava numa carreira brilhante, então...

Haviam parado num dos grandes corredores, e suas vozes ressoavam tristemente entre as paredes, pois o local estava vazio e desabitado.

— Então não é verdade que todos os oficiais vieram a pedido? Todos obrigados a ficar como eu, não é assim?

Ortiz calava-se, cutucando com a ponta do sabre uma fresta do pavimento de pedra.

— E os que diziam que eram eles que queriam ficar aqui, tudo conversa, então? — insistia Drogo. — E por que nunca ninguém teve coragem de dizer?

— Talvez não seja bem como você está dizendo — respondeu Ortiz. — Há quem tenha realmente preferido ficar, poucos, concordo, mas há quem...

— Quem? Vamos, diga-me quem! — disse Drogo, com vivacidade; em seguida conteve-se repentinamente: — Ah, desculpe, senhor major — acrescentou —, eu naturalmente não estava pensando no senhor, sabe como acontece quando se fala!

Ortiz sorriu.

— Ah, não estava falando de mim? Provavelmente eu também fiquei aqui por designação!

Os dois se puseram em movimento, caminhando juntos, e passaram diante das pequenas janelas oblongas, gradeadas; de lá se enxergavam o planalto desnudo atrás do forte, os morros do sul, a neblina densa do vale.

— E então — retomou Drogo, após uma pausa. — Então todos aqueles entusiasmos, aquelas histórias dos tártaros? Não eram esperados de verdade, então?

— Não há dúvida de que eram esperados! — disse Ortiz. — Acreditávamos nisso, realmente.

Drogo sacudiu a cabeça.

— Não estou entendendo palavra...

— O que quer que lhe diga? — disse o major. — São histórias um tanto complicadas... Aqui é um pouco como no exílio, é preciso achar uma espécie de desafogo, é preciso ter esperança em alguma coisa. Alguém pôs na cabeça, começaram a falar dos tártaros, sabe-se lá quem foi o primeiro...

— Quem sabe também pelo lugar — disse Drogo —, de tanto ver aquele deserto...

— Decerto, o lugar também... O deserto, as névoas no fundo, as montanhas, não se pode negar... Também o lugar contribui, realmente.

Calou-se por um instante, pensando; em seguida continuou, como que falando a si próprio:

— Os tártaros... os tártaros... No princípio parece uma bobagem, naturalmente, depois acaba-se acreditando, apesar disso; pelo menos para muitos aconteceu assim, realmente.

— Mas o senhor, major, perdoe, o senhor...

— Comigo é outra história — disse Ortiz. — Tenho outra idade. Não possuo mais veleidades de carreira, basta-me um lugar tranquilo... Você, tenente, ao contrário, tem a vida inteira pela frente. Dentro de um ano, um ano e meio no máximo, você será transferido...

— Lá vai Morel, que sorte a dele! — exclamou Drogo, detendo-se numa janelinha. Através da esplanada, via-se, de fato, o pelotão se afastar. No terreno árido e batido de sol, os soldados sobressaíam com nitidez. Embora carregassem pesadíssimas mochilas, marchavam empertigados.

XXII

A última companhia que devia partir estava formada no pátio, todos pensavam que no dia seguinte a nova vida seria organizada definitivamente; uma vez reduzida a guarnição, havia uma especial impaciência de acabar com aquela eterna história das despedidas, aquela raiva de ver os outros partirem. A companhia já estava formada e esperava que o tenente-coronel Nicolosi a passasse em revista, quando Giovanni Drogo, que assistia, viu surgir o tenente Simeoni com uma cara esquisita.

O tenente Simeoni encontrava-se há três anos no forte e parecia um bom sujeito, meio pedante, respeitador das autoridades e amante dos exercícios físicos. Entrando no pátio, olhava à sua volta quase com ansiedade, à procura de alguém a quem dizer algo. Provavelmente um ou outro teria dado no mesmo, pois ele não tinha amizades particulares.

Viu Drogo, que o observava, e aproximou-se dele.

— Venha ver — disse-lhe em voz baixa. — Depressa, venha ver.

— O quê? — perguntou Drogo.

— Estou de serviço no terceiro reduto, desci um instante, venha assim que estiver livre. Há algo que não entendo. — E ofegava um pouco, como se tivesse dado uma corrida.

— Onde? O que você viu? — perguntou Drogo, interessado.

— Agora espere — disse Simeoni —, espere que a companhia tenha partido.

Nesse momento um clarim emitiu um triplo toque e os soldados se puseram em sentido porque chegara o comandante do forte degradado.

— Espere que tenham partido — disse ainda Simeoni, pois Drogo se impacientava com aquele mistério, aparentemente sem razão. — Quero ao menos vê-los sair. Há cinco dias que estou querendo contar, mas antes é preciso que todos tenham partido.

Finalmente, após as breves palavras de Nicolosi e as últimas fanfarras, a companhia, equipada para a longa marcha, saiu a passos pesados do forte, dirigindo-se ao vale. Era um dia de setembro, o céu estava cinzento e triste.

Então Simeoni puxou Drogo pelos longos corredores solitários, até a entrada do terceiro reduto. Atravessaram o corpo de guarda, debruçaram-se no caminho de ronda.

O tenente Simeoni tirou uma luneta e pediu a Drogo para olhar em direção do pequeno triângulo de planície que as montanhas da frente deixavam livre.

— O que foi? — perguntou Drogo.

— Olhe primeiro, não quero estar enganado. Olhe você primeiro e diga-me se está vendo algo.

Apoiando os cotovelos no parapeito, Drogo olhou atentamente o deserto, e, através da luneta, um instrumento pessoal de Simeoni, enxergava perfeitamente as pedras, as depressões, as raras manchas de arbustos, embora estivessem extraordinariamente distantes.

Um trecho depois do outro, Drogo percorreu o triângulo visível do deserto, e estava para dizer que não, que não conseguia ver nada, quando bem no fundo, lá onde toda imagem se esmaecia dentro da perene cortina de neblina, pareceu-lhe divisar uma pequena mancha escura que se movia.

Ainda estava apoiado com os cotovelos no parapeito e olhava pela luneta, quando sentiu o coração bater com ímpeto. "Como dois anos antes", pensou, "quando se achava que os inimigos haviam chegado."

— É aquela manchinha preta? — perguntou Drogo.

— Faz cinco dias que a vi, mas não queria contar a ninguém.

— Por quê? — disse Drogo. — Do que você tinha medo?

— Se falasse, talvez suspendessem as partidas. E assim, depois de terem caçoado de nós, Morel e os outros ficariam para aproveitar a ocasião. Melhor sermos poucos.

— Que ocasião? O que acha que seja? Deve ser como da outra vez, uma patrulha de reconhecimento, ou talvez pastores, ou simplesmente um animal.

— Faz cinco dias que estou observando — disse Simeoni. — Se fossem pastores, teriam ido embora, e do mesmo modo se fossem animais. Há alguma coisa em movimento, mas que fica mais ou menos sempre no mesmo ponto.

— E então que ocasião quer que seja?

Simeoni olhou sorrindo para Drogo, como que se perguntando se podia revelar-lhe o segredo. Depois disse:

— Estão construindo uma estrada, acho, estão construindo uma estrada militar. Este é o momento certo. Há dois anos vieram para estudar o terreno, agora chegam para valer.

Drogo riu cordialmente.

— Mas que estrada quer que construam? Imagine só se vem vindo alguém! Já não teve o suficiente da última vez?

—Você talvez seja um tanto míope — disse Simeoni. — Talvez não tenha a vista boa, mas eu consigo enxergar muito bem, começaram a fazer o pavimento. Ontem, que fazia sol, dava para ver perfeitamente.

Drogo balançou a cabeça, admirado com tamanha obstinação. Então Simeoni ainda não se cansara de esperar? E tinha medo de revelar sua descoberta como se fosse um tesouro? Tinha medo de que a roubassem dele?

— Antigamente — disse Drogo —, antigamente eu também teria acreditado. Mas agora você me parece um iludido. Se eu fosse você, ficaria quieto, acabarão rindo de você pelas costas.

— Estão fazendo uma estrada — replicou Simeoni, fitando Drogo, compadecido. — Levarão meses, claro, mas desta vez é para valer.

— Ainda que fosse — disse Drogo —, ainda que fosse como você diz, acha que, se realmente estivessem abrindo uma estrada para conduzir os artilheiros do Norte, o forte seria deixado desguarnecido? Logo saberiam disso no Estado-Maior, já saberiam disso há anos.

— O Estado-Maior nunca leva o forte Bastiani a sério; até que o tenham bombardeado, ninguém acreditará nestas histórias... Vão se convencer disso tarde demais.

— Diga o que quiser — repetiu Drogo. — Se estivessem mesmo fazendo essa estrada, o Estado-Maior estaria muito bem-informado, fique certo disso.

— O Estado-Maior tem mil informações, mas, de mil, só uma é boa, e assim não acreditam em nenhuma. De resto, é inútil discutir, verá se não vai acontecer como estou dizendo.

Estavam sozinhos, na beira do caminho de ronda. As sentinelas, muito mais distanciadas que antes, andavam de um lado para o outro pelo trecho respectivamente fixado. Drogo olhou ainda para o setentrião; as rochas, o deserto, as névoas no fundo, tudo lhe parecia vazio de sentido.

Mais tarde, falando com Ortiz, Drogo ficou sabendo que o famoso segredo do tenente Simeoni era conhecido praticamente por todos. Só que ninguém lhe dera importância. Muitos se espantavam, aliás, de que um rapaz sério como Simeoni fizesse circular essas novas histórias.

Naqueles dias havia outras coisas em que pensar. A diminuição dos quadros obrigava a reduzir, ao longo dos beirais das muralhas, as forças disponíveis, e continuavam a fazer diversas experiências para obter, com menores meios, um serviço de segurança quase tão eficaz como antes.

Foi necessário abandonar alguns corpos de guarda, equipar outros com mais material, foi necessário recompor as companhias e distribuí-las novamente nos dormitórios.

Pela primeira vez, desde que fora construído o forte, alguns lugares foram fechados e trancados. O alfaiate Prosdocimo precisou dispensar três ajudantes porque não lhe restara serviço suficiente. De vez em quando acontecia entrar em dormitórios ou gabinetes completamente vazios, em cujas paredes se viam as manchas brancas dos móveis e dos quadros retirados.

O pontinho negro que se movia nos extremos confins da planície continuou a ser considerado uma brincadeira. Poucos pediram emprestada a luneta de Simeoni para ver eles mesmos, e esses poucos diziam não ter enxergado nada. O próprio Simeoni, já que ninguém o levava a sério, evitava falar sobre a descoberta, e por prudência ria também, sem levar a mal.

Uma tarde Simeoni foi ao quarto de Drogo para chamá-lo. Já caíra a noite e a guarda fora rendida. O desfalcado destacamento do Reduto Novo voltara, e o forte preparava-se para a vigília, mais uma noite inutilmente perdida.

—Venha ver, você que não acredita, venha ver — dizia Simeoni. — Ou estou tendo alucinações ou estou vendo uma luz.

Foram ver. Subiram ao beiral das muralhas, na altura do quarto reduto. Na escuridão, o companheiro deu a Drogo a luneta para que observasse.

— Mas está escuro! — disse Giovanni. — O que quer ver numa escuridão dessas?

— Olhe, estou dizendo — insistiu Simeoni. — Eu lhe disse, não queria que fosse uma alucinação. Olhe onde lhe mostrei da outra vez, diga-me se vê alguma coisa.

Drogo levou a luneta ao olho direito, apontou-a para o extremo setentrião, viu nas trevas um pequeno lume, um ponto infinitesimal de luz que tremeluzia nos limites das névoas.

— Uma luz! — exclamou Drogo. — Estou vendo um pequeno clarão... Espere... — E continuava ajustando a luneta ao olho. — Não dá para saber se são vários ou um só, em certos momentos parece que são dois.

—Viu? — disse Simeoni, triunfante. — Sou eu o idiota?

— O que isso tem a ver? — replicou Drogo, embora não muito convencido. — O que significa a existência daquela luz? Poderia ser um acampamento de ciganos ou de pastores.

— É a luz do canteiro — disse Simeoni. — O canteiro de obras da nova estrada, verá se não tenho razão.

A olho nu, mesmo que parecesse estranho, não se podia enxergar a luz. Nem as sentinelas (se bem que fossem excelentes, caçadores famosos) conseguiam ver nada.

Drogo apontou ainda a luneta, procurou a remota luz, ficou olhando por alguns instantes, em seguida ergueu o instrumento e pôs-se a observar por curiosidade as estrelas. Em número ilimitado, elas enchiam todas as partes do céu, belíssimas de ver. A leste, porém, eram muito mais raras, pois estava para surgir a lua, precedida de um vago clarão.

— Simeoni! — chamou Drogo, não vendo mais o companheiro ao lado. Mas o outro não lhe respondeu; devia ter descido por uma escadinha a fim de inspecionar o beiral das muralhas.

Drogo olhou em volta. No escuro, conseguia enxergar apenas o caminho de ronda vazio, o perfil das fortificações, a sombra negra das montanhas. Ouviram-se algumas badaladas do relógio. A última sentinela à direita deveria agora lançar o grito noturno, de soldado em soldado a voz percorreria todas as muralhas. "Alerta! Alerta!" Depois o chamado faria o caminho inverso, indo morrer na base dos grandes penhascos. "Agora que os postos de vigia foram diminuídos pela metade", pensou Drogo, "a voz, pelas mínimas repetições, faria a viagem completa muito mais rápido." Ao invés disso fez-se silêncio.

Vieram então, repentinamente, à cabeça de Drogo pensamentos de um mundo desejável e distante, um palacete, por exemplo, à beira-mar, numa noite de verão, graciosas criaturas sentadas por perto, música que se ouvia ao longe, imagens de felicidade em que a juventude permitia meditar impunemente, e ao mesmo tempo a orla extrema do mar no levante tornar-se nítida e escura, começando o céu a empalidecer devido à alvorada que vinha chegando. E poder perder as noites assim, sem se refugiar no sono, sem medo de se atrasar, deixar surgir o sol, antegozar diante de si um tempo infinito, sem precisar angustiar-se. Dentre tantas coisas bonitas no mundo, Giovanni teimava em desejar esse improvável palacete junto ao mar, as músicas, a dissipação das horas, a espera da manhã. Ainda que tolo, isso parecia exprimir do modo mais intenso aquela paz que ele perdera. Há algum tempo, de fato, uma ansiedade, que ele não conseguia entender, o perseguia sem descanso: a impressão de que não daria tempo, de que alguma coisa de importante aconteceria e o pegaria de surpresa.

A entrevista com o general, na cidade, deixara-lhe poucas esperanças de transferência e carreira brilhante, mas Giovanni sabia que não poderia passar a vida inteira entre as muralhas do forte. Cedo ou tarde precisaria tomar alguma decisão. Depois, os hábitos se apoderavam dele no ritmo de sempre, e Drogo não pensava mais nos outros, nos companheiros que haviam escapado em tempo, nos velhos amigos que se tornavam ricos e famosos; ele se consolava à visão dos oficiais que viviam como ele, no mesmo exílio, sem pensar que podiam ser os fracos ou os vencidos, o último exemplo a ser seguido.

Dia após dia, Drogo adiava a decisão; de resto sentia-se ainda jovem, só 25 anos. Aquela ansiedade sutil o perseguia, contudo, sem descanso, agora havia também a história da luz na planície do norte, podia até ser que Simeoni tivesse razão.

Poucos falavam disso no forte, como de coisa sem importância que não lhes podia dizer respeito. Muito próxima estava a desilusão pela guerra que não viera, embora ninguém nunca tivesse tido coragem de confessar. E era demasiado recente a mortificação de ver partir os companheiros, de ficarem poucos e esquecidos a guardar as inúteis muralhas. A redução da guarnição demonstrara claramente que o Estado-Maior não dava mais importância ao forte Bastiani. As ilusões, outrora tão fáceis e desejadas, eram agora rechaçadas com raiva. Simeoni, para não ser ridicularizado, preferia calar.

Nas noites seguintes, não se avistou mais a luz misteriosa, nem de dia se conseguiu mais enxergar movimento algum no extremo da planície. O major Matti, subindo por curiosidade até o beiral dos bastiões, tomou a luneta de Simeoni e inutilmente percorreu o deserto.

— Tome a sua luneta, tenente — disse em seguida a Simeoni, num tom indiferente. — Talvez fosse melhor que, em vez de gastar a vista à toa, você cuidasse um pouco mais de seus homens. Vi uma sentinela sem a bandoleira. Vá verificar, deve ser aquela lá do fundo.

Com Matti estava o tenente Maderna, que depois contou a história durante a refeição, entre grandes risadas. Já então todos procuravam unicamente deixar passar os dias o mais comodamente possível, e o assunto do Norte foi esquecido.

Somente com Drogo Simeoni continuou a discutir o mistério. Durante quatro dias realmente não foram mais vistas nem luzes nem manchas em movimento; no quinto dia, haviam aparecido novamente. As névoas setentrionais — acreditava Simeoni ser essa a explicação — aumentavam ou desapareciam de acordo com as estações, o vento e a temperatura; naqueles quatro dias elas haviam descido em direção ao sul, envolvendo o pretenso canteiro.

Não só reapareceu a luz, mas, depois de quase uma semana, Simeoni achou que ela se deslocara, avançando em direção ao forte. Dessa vez Drogo se opôs: como era possível, na escuridão da noite, sem qualquer ponto de referência, constatar semelhante movimento, ainda que tivesse ocorrido?

— Pois é — dizia Simeoni, obstinado. — Você admite que, se a luz tivesse se deslocado, não se poderia provar com segurança. Tenho então tanta razão em dizer que se deslocou quanto você, que diz que ficou parada. De qualquer modo, verá: quero observar todos os dias aqueles pontinhos que se movem; vai ver que pouco a pouco eles avançam.

No dia seguinte puseram-se a olhar juntos, alternando-se no uso da luneta. Na realidade, não se via nada além de três ou quatro minúsculas manchinhas que se deslocavam com grande lentidão. Já era difícil perceber esses movimentos. Era preciso tomar dois ou três pontos de referência, a sombra de um rochedo, o perfil de um morrinho, e fixar as distâncias proporcionais. Após vários minutos, via-se que essa proporção mudara. Sinal de que o pontinho trocara de posição.

Era extraordinário que Simeoni conseguisse ter enxergado da primeira vez. Não se podia excluir a possibilidade de que o fenômeno se repetisse há anos ou há séculos; podia haver, lá embaixo, um vilarejo ou um poço junto do qual as caravanas acampassem, e até então ninguém usara no forte uma luneta potente como a de Simeoni.

O deslocamento das manchinhas ocorria quase sempre na mesma linha, acima e abaixo. Simeoni achava que eram carros para o transporte de pedras ou areia; "os homens", dizia ele, "seriam demasiado pequenos para serem vistos àquela distância".

Habitualmente, viam-se apenas três ou quatro pontinhos em movimento simultâneo. "Admitindo-se que fossem carros", raciocinava Simeoni, "a cada três que se movimentavam, devia haver pelo menos outros seis parados, para carga e descarga, e os seis não podiam ser identificados, confundindo-se com as mil outras manchas imóveis da paisagem." Só naquele pedaço, então, era manobrada uma dezena de veículos, provavelmente de quatro cavalos cada um, como se usava para os transportes pesados. Os homens, em proporção, deviam ser centenas.

Essas observações, feitas a princípio quase por aposta e por brincadeira, tornaram-se o único elemento interessante na vida de Drogo. Embora Simeoni, pela falta de qualquer alegria e pela conversa pedante, não lhe fosse especialmente simpático, Giovanni, nas horas livres, estava quase sempre com ele, e à noite também, nas salas dos oficiais, os dois ficavam acordados até altas horas, discutindo.

Simeoni já fizera uma previsão. Admitindo, no entanto, que os trabalhos procedessem devagar e que a distância fosse ainda maior que a comumente admitida, bastariam seis meses, dizia, para que a estrada se aproximasse até ficar a um tiro de canhão do forte. "Com toda a probabilidade", pensava ele, "os inimigos se deteriam ao abrigo de um socalco que atravessava longitudinalmente o deserto."

Esse socalco confundia-se frequentemente com o resto da planície pela identidade de cor, mas às vezes as sombras da tarde ou os bancos de névoas revelavam sua presença. Ele baixava em direção ao norte, não se sabia se escarpado nem em que profundidade. Era desconhecido portanto o pedaço de deserto que ele tolhia à visão de quem olhava do Reduto Novo (dos muros do forte, por causa das montanhas dianteiras, o socalco não era percebido).

Da borda superior dessa depressão até o sopé das montanhas, lá onde se erguia o cone rochoso do Reduto Novo, o deserto estendia-se uniforme e achatado, interrompido apenas por alguma frincha, por montes de escombros, por breves zonas de canavial.

— Chegando com a estrada até o socalco — previa Simeoni —, os inimigos poderiam sem dificuldade completar o resto do trecho numa só arrancada, aproveitando uma noite nebulosa. O terreno é suficientemente plano e compacto para permitir também aos artilheiros avançar com facilidade.

— Os seis meses previstos aproximadamente — acrescentava o tenente — podiam até tornar-se sete, oito e até muito mais, de acordo com as circunstâncias. — E aqui Simeoni enumerava as possíveis causas do atraso: um erro no cálculo da distância total a ser superada; a existência de outros vales intermediários, invisíveis do Reduto Novo, devido aos quais os trabalhos se tornariam mais demorados e difíceis; uma progressiva diminuição da construção, à medida que os estrangeiros se afastavam da fonte dos reabastecimentos; complicações de caráter político que aconselhassem suspender a obra por um certo período; a neve, que poderia até paralisar totalmente os trabalhos por dois meses ou mais; as chuvas, que talvez transformassem a planície em pântano. Esses, os obstáculos principais. Simeoni fazia questão de expô-los um por um, para não parecer obcecado.

"E se a estrada não tivesse qualquer intuito de agressão? Se, por exemplo, ela fosse construída com finalidades agrícolas, para o cultivo da imensa terra até então estéril e desabitada? Ou simplesmente se os trabalhos tivessem sido suspensos depois de um ou dois quilômetros?", perguntava Drogo.

Simeoni sacudia a cabeça. "O deserto era muito pedregoso para ser cultivado", respondia. Além disso, o reino do Norte possuía imensas pradarias abandonadas que serviam somente de pasto; o terreno ali teria sido bem mais apropriado para um empreendimento desse gênero.

Mas então era certo que os estrangeiros estavam realmente construindo uma estrada? Simeoni garantia que em certos dias límpidos, na direção do poente, quando as sombras se alongavam enormemente, conseguira enxergar a faixa retilínea da pavimentação. Drogo porém não a avistava, por mais que se esforçasse. Quem podia jurar que aquela faixa reta não fosse uma simples dobra do terreno? O movimento dos misteriosos pontinhos negros e a luz acesa de noite não eram absolutamente comprobatórios; quem sabe sempre tivessem existido; e, nos anos anteriores, quem sabe ninguém os tivesse notado por estarem encobertos pela neblina (sem contar a insuficiência das velhas lunetas usadas até então no forte)?

Enquanto Drogo e Simeoni continuavam a entabular essas discussões, um dia começou a nevar. "Nem acabou o verão ainda", foi o primeiro pensamento de Giovanni, "e já chegou a má estação." Parecia-lhe, de fato, mal ter voltado da cidade, não ter nem mesmo tido tempo de arranjar-se como antes. Entretanto, no calendário estava escrito 25 de novembro; meses inteiros haviam se consumido.

Densa, a neve caía do céu, depositando-se nos terraços e tornando-os brancos. Olhando para ela, Drogo sentiu mais aguda a ansiedade costumeira, tentou inutilmente enxotá-la, pensando em sua própria tenra idade, nos muitíssimos anos que lhe restavam. O tempo, inexplicavelmente, pusera-se a correr cada vez com maior velocidade, engolindo os dias uns após os outros. Bastava olhar ao redor que a noite já caía, o sol dava volta por baixo e reaparecia do outro lado para iluminar o mundo pleno de neve.

Os outros, os companheiros, pareciam não se dar conta disso. Faziam seus serviços de sempre sem entusiasmo, antes se regozijavam quando nas ordens do dia aparecia o nome de um novo mês, como se tivessem obtido um lucro. Menos tempo para passar no forte Bastiani, calculavam. Eles tinham então um ponto de chegada, medíocre ou glorioso que fosse, com o qual sabiam se contentar.

O próprio major Ortiz, que já atingira os cinquenta anos, assistia, apático, à fuga das semanas e dos meses. Renunciara às grandes esperanças: "Mais uma dezena de anos", dizia, "e depois me aposento." Voltaria à sua casa, numa cidade da província — explicava —, onde viviam alguns parentes seus. Drogo fitava-o com simpatia, sem conseguir entendê-lo. O que faria Ortiz lá embaixo, no meio dos civis, sem mais nenhum objetivo, sozinho?

— Soube contentar-me — dizia o major, percebendo os pensamentos de Giovanni. — Ano após ano, aprendi a querer cada vez menos. Se tudo correr bem, voltarei para casa com o grau de coronel.

— E depois? — perguntava Drogo.

— E depois chega — dizia Ortiz, com um sorriso resignado. — Depois esperarei ainda... satisfeito pelo dever cumprido — concluía, zombeteiro.

— Mas aqui, no forte, nesses dez anos, não pensa que...

— Uma guerra? O senhor ainda pensa numa guerra? Já não tivemos o suficiente?

Sobre a planície setentrional, nos limites das névoas perenes, não se via mais nada de suspeito; até a luz noturna tinha se apagado. E Simeoni estava satisfeito com isso. Demonstrava que ele tinha razão: não se tratava nem de um povoado nem de um acampamento de ciganos, mas apenas de trabalhos, que a neve interrompera.

XXIII

O inverno descera sobre o forte havia vários dias quando na ordem do dia, afixada num quadrinho num muro do pátio, leu-se uma estranha comunicação.

"*Deploráveis alarmes e falsos boatos*", estava escrito. "Com base na precisa disposição do comando superior, convido suboficiais, graduados e soldados a não dar crédito, repetir ou ainda difundir boatos de alarme, destituídos de qualquer fundamento que seja, acerca de pretensas ameaças de agressão contra nossas fronteiras. Tais boatos, além de inoportunos por óbvios motivos disciplinares, podem perturbar as normais relações de boa vizinhança com o Estado fronteiriço e difundir entre a tropa inútil nervosismo, nocivo ao andamento do serviço. Desejo que a vigilância por parte das sentinelas seja exercida com os meios normais e que sobretudo não se recorra a instrumentos ópticos não permitidos pelo regulamento, que, frequentemente usados sem discernimento, dão facilmente ocasião a erros e falsas interpretações. Quem quer que tenha em seu poder tais instrumentos deverá notificar ao respectivo comando de destacamento, que providenciará a retirada dos ditos instrumentos e a sua retenção em custódia."

Seguiam as disposições normais para o turno cotidiano de guarda e a assinatura do comandante, tenente-coronel Nicolosi.

Era evidente que a ordem do dia, formalmente dirigida à tropa, voltava-se na realidade aos oficiais. Nicolosi obtivera desse modo o duplo objetivo de não mortificar ninguém e de pôr ao corrente o forte inteiro. Certamente nenhum dos oficiais ousaria mais deixar-se ver pelas sentinelas examinando o deserto com lunetas extrarregulamentares. Os instrumentos consignados aos vários redutos eram velhos, praticamente inutilizados, alguns até haviam sido perdidos.

Quem fora o espião? Quem avisara o comando superior, lá na cidade? Todos pensaram instintivamente em Matti, só podia ter sido ele, sempre com o regulamento em mãos para abafar qualquer motivo de satisfação, qualquer tentativa de iniciativa pessoal.

Em sua maioria os oficiais caçoaram disso. "O comando superior", diziam, "continua sempre o mesmo, chegando com dois anos de atraso." Quem realmente pensava em invasões do Norte? Ah, sim, Drogo e Simeoni (haviam justamente se esquecido). No entanto, parecia incrível que a ordem do dia tivesse sido feita especialmente para aqueles dois. Um boa-praça como Drogo, pensavam, não podia de certo ameaçar quem quer que fosse, mesmo que estivesse todo santo dia com uma luneta na mão. Também Simeoni era considerado inócuo.

Giovanni teve, ao contrário, a instintiva certeza de que a ordem do tenente-coronel se referia pessoalmente a ele.

Mais uma vez as coisas da vida se combinavam exatamente contra ele. Que mal havia se ele ficava algumas horas observando o deserto? Por que impedir-lhe esse consolo? Só de pensar nisso crescia-lhe uma raiva profunda. Ele já se preparava para esperar a primavera: logo que se derretesse a neve — esperava —, reapareceria no extremo norte a luz misteriosa, os pontinhos negros recomeçariam a se mover para lá e para cá, a confiança renasceria.

Toda a sua vida sentimental estava de fato concentrada naquela esperança, e, dessa vez, só Simeoni estava com ele, os outros sequer pensavam nisso, nem mesmo Ortiz, nem mesmo o chefe dos alfaiates, Prosdocimo. Era bonito agora, assim a sós, nutrir zelosamente um segredo, não como nos dias longínquos, antes que Angustina morresse, quando todos se olhavam como cúmplices, com uma espécie de ávida concorrência.

Agora a luneta fora proibida. Simeoni, escrupuloso que era, decerto não mais se atreveria a usá-la. Mesmo se a luz se reacendesse no limite das névoas perenes, mesmo se recomeçasse o vaivém das minúsculas manchas, eles não poderiam mais tomar conhecimento, ninguém a olho nu se daria conta, nem mesmo as melhores sentinelas, caçadores famosos que enxergam um corvo a mais de um quilômetro.

Drogo estava ansioso, naquele dia, por ouvir o parecer de Simeoni, mas esperou até a noite, para não dar na vista, pois alguém, decerto, iria contar imediatamente. O próprio Simeoni, de resto, não viera ao meio-dia ao refeitório, e Giovanni não o vira em nenhum outro lugar.

Simeoni apareceu para o jantar, mais tarde que de costume, quando Drogo já havia começado. Comeu rapidamente, levantou-se antes de Giovanni, correu logo para uma mesa de jogo. Será que tinha medo de ficar a sós com Drogo?

Nenhum dos dois estava de serviço naquela noite. Giovanni sentou-se numa poltrona, ao lado da porta das salas, para abordar o companheiro na saída. E percebeu como Simeoni, durante o jogo, lhe cravava os olhos de relance, tentando não se deixar ver.

Simeoni jogou até tarde, muito mais tarde que de costume, como nunca fizera. Continuava a dar olhadelas para a porta, desejava que

Drogo tivesse se cansado de esperar. Por fim, quando todos se retiraram, precisou ele também levantar-se e dirigir-se à porta. Drogo ladeou-o.

— Olá, Drogo — disse Simeoni, com um sorriso embaraçado. — Não o tinha visto, por onde andava?

Dirigiram-se a um dos míseros corredores que atravessavam longitudinalmente o corpo do forte.

— Fiquei lendo — disse Drogo. — Não percebi que já era tão tarde.

Caminharam um pouco em silêncio, em meio aos reflexos das raras lanternas presas simetricamente às duas paredes. O grupo dos outros oficiais já havia se afastado, ouviam-se suas vozes confusas chegarem da penumbra distante. Era noite alta e fazia frio.

— Leu a ordem do dia? — disse Drogo de repente. — Você viu aquela história dos falsos alarmes? Sabe-se lá por quê. Quem será o espião?

— Como vou saber? — respondeu Simeoni, quase grosseiramente, detendo-se ao pé de uma escada que conduzia para cima. — Você vai subir por aqui?

— E a luneta? — insistiu Drogo. — Não se poderá usar mais a sua luneta, pelo menos...

— Já a entreguei ao comando — interrompeu Simeoni com arrogância. — Achei melhor. Tanto mais que não tiravam os olhos da gente.

— Podia ter esperado, acho. Talvez dentro de três meses, quando a neve se for e ninguém mais pensar nisso, pudéssemos voltar a olhar. A estrada de que você fala, como faremos para vê-la sem a sua luneta?

— Ah, a estrada — havia na voz de Simeoni uma espécie de compaixão. — Mas acabei de me convencer de que você tinha razão!

— Que eu tinha razão, como?

— Que não estão construindo nenhuma estrada, deve ser justamente algum vilarejo ou um acampamento de ciganos, como você dizia.

Então Simeoni tinha tanto medo a ponto de renegar tudo? Por medo de um aborrecimento não tinha confiança em falar nem mesmo com ele, Drogo? Giovanni encarou o companheiro. O corredor ficara completamente deserto, não se ouvia mais nenhuma voz, as sombras dos dois oficiais projetavam-se monstruosas de um lado e de outro, ondeando.

— Está dizendo que não acredita mais? — perguntou Drogo. — Acha mesmo que se enganou? E todos os cálculos que andou fazendo?

— Era só para passar o tempo — disse Simeoni, tentando tornar tudo uma brincadeira. — Você não levou a sério, espero.

— É que você está com medo, diga a verdade — disse-lhe Drogo, com voz antipática. — Foi a ordem do dia, diga a verdade, e agora você não confia mais em mim.

— Não sei o que você tem esta noite — respondeu Simeoni. — Não sei o que você está querendo dizer. Com você não se pode brincar. É isso, leva tudo a sério, parece criança.

Drogo calou-se e ficou olhando para ele. Permaneceram alguns instantes em silêncio no corredor sombrio, mas o silêncio era grande demais.

— Bem, vou dormir — concluiu Simeoni. — Boa noite! — E subiu pela escada, ela também iluminada a cada patamar por uma fraca lanterna. Simeoni subiu a primeira rampa, desapareceu atrás da curva, viu-se apenas a sua sombra na parede, depois nem mesmo ela.

"Que verme!", pensou Drogo.

XXIV

O tempo entretanto corria, marcando cada vez mais precipitadamente a vida com sua batida silenciosa, não se pode parar um segundo sequer, nem mesmo para olhar para trás. "Pare, pare!", se desejaria gritar, mas vê-se que é inútil. Tudo se esvai, os homens, as estações, as nuvens; e não adianta agarrar-se às pedras, resistir no topo de algum escolho, os dedos cansados se abrem, os braços se afrouxam, inertes, acaba-se arrastado pelo rio, que parece lento, mas não para nunca.

Dia após dia Drogo sentia aumentar essa ruína, e em vão tentava estancá-la. Na vida uniforme do forte faltavam-lhe pontos de referência, e as horas lhe fugiam antes que ele conseguisse contá-las.

Havia também a esperança secreta pela qual Drogo dissipara a melhor parte da vida. Para alimentá-la, sacrificava levianamente meses e meses, e nunca era suficiente. O inverno, o longuíssimo inverno do forte, não foi senão uma espécie de adiamento. Terminado o inverno, Drogo ainda esperava.

"Chegando a boa estação", pensava ele, "os estrangeiros retomarão os trabalhos da estrada." Mas não estava mais disponível a luneta de Simeoni, que permitia vê-los. Todavia, com a sequência dos trabalhos — sabe-se lá quanto ainda seria preciso —, os estrangeiros se aproximariam e um belo dia chegariam ao alcance das velhas lunetas consignadas a alguns corpos de guarda.

Por isso, Drogo deixara de estabelecer o prazo de sua espera na primavera, transferindo-o para alguns meses mais tarde, sempre na hipótese de que a estrada estivesse realmente sendo construída. E devia matutar todos esses pensamentos em segredo, porque Simeoni, com medo de aborrecimentos, não queria mais saber de nada disso, os demais companheiros fariam pouco dele, e os superiores desaprovavam fantasias daquele tipo.

No começo de maio, ainda que perscrutasse a planície com a melhor das lunetas dos ordenanças, Giovanni não conseguia perceber nenhum sinal de atividade humana; sequer a luz noturna, embora os focos fossem facilmente visíveis, mesmo a distâncias desmesuradas.

Aos poucos a fé se enfraquecia. É difícil acreditar numa coisa quando se está sozinho e não se pode falar com ninguém. Justamente naquela época Drogo deu-se conta de que os homens, ainda que possam se querer bem, permanecem sempre distantes; que, se alguém sofre, a dor é totalmente sua, ninguém mais pode tomar para si uma mínima parte dela; que, se alguém sofre, os outros não vão sofrer por isso, ainda que o amor seja grande, e é isso o que causa a solidão da vida.

A fé começava a se cansar e a impaciência crescia, enquanto Drogo ouvia que as batidas do relógio se tornavam cada vez mais densas. Já lhe ocorria deixar passar dias inteiros sem dar nenhuma olhada para o norte (embora às vezes gostasse de enganar a si próprio e convencer-se de que era um esquecimento, ao passo que fazia isso de propósito, para ter uma sombra de probabilidade a mais, na vez seguinte).

Finalmente, uma noite — quanto tempo fora preciso? —, uma luzinha trêmula aparecera na lente da luneta, débil luz que parecia palpitar, moribunda, e, ao contrário, devia ser, calculada à distância, uma respeitável iluminação.

Era a noite de 7 de julho. Durante anos, Drogo lembrou-se da alegria maravilhosa que lhe inundou o íntimo, e da vontade de correr e gritar, para que todos ficassem sabendo, e do orgulhoso esforço de não dizer nada a ninguém pelo supersticioso medo de que a luz se apagasse.

Toda noite, no beiral das muralhas, Drogo punha-se a esperar, toda noite a luz parecia se aproximar e se tornar maior. Muitas vezes devia ser apenas uma ilusão, nascida do desejo; outras, porém, era um progresso real, tanto que finalmente uma sentinela avistou-a a olho nu.

Em setembro, a luz do pretenso canteiro era percebida distintamente nas noites serenas, mesmo por pessoas de vista normal. Aos poucos, entre os militares, recomeçou-se a falar da planície do norte, dos estrangeiros, daqueles estranhos movimentos e luzes noturnas. Muitos diziam que era uma estrada, ainda que não conseguissem explicar sua finalidade; a hipótese de ser uma obra militar parecia absurda. De resto, as obras pareciam prosseguir com extraordinária lentidão, devido à imensa distância a que ficavam.

Entretanto, numa noite ouviu-se alguém falar de guerra em termos vagos, e estranhas esperanças recomeçaram a rodopiar entre as muralhas do forte.

XXV

Um poste está fincado na beira do socalco que corta longitudinalmente a planície do norte, a menos de um quilômetro de distância do forte. Dali até o cone rochoso do Reduto Novo, o deserto estende-se uniforme e compacto, de modo a permitir aos artilheiros prosseguirem livremente. Um poste está cravado na borda superior da depressão, singular sinal humano, que se vê muito bem, mesmo a olho nu, do alto do Reduto Novo.

A estrada dos estrangeiros chegou até ali. A grande obra está finalmente concluída, mas a que terrível preço! O tenente Simeoni fizera uma previsão, dissera seis meses. Mas seis meses não foram suficientes para a construção, nem seis meses, nem oito, nem dez. A estrada já está pronta, os comboios inimigos podem descer do setentrião a todo o galope para atingir as muralhas do forte; depois só falta atravessar o último trecho, poucas centenas de metros num terreno plano e fácil, mas tudo isso custou caro. Foram necessários 15 anos, 15 longuíssimos anos, que, no entanto, passaram como um sonho.

Olhando-se ao redor, nada parece mudado. As montanhas continuam idênticas, nos muros do forte veem-se sempre as mesmas manchas, deve haver até alguma nova, mas de tamanho insignificante. Igual é o céu, igual o deserto dos tártaros, exceto aquele poste enegrecido na beira do socalco e uma faixa reta, que se vê ou não, conforme a luz, e é a famosa estrada.

Quinze anos para as montanhas foram menos que nada, e mesmo nos bastiões do forte não fizeram grande estrago. Mas para os homens foram um longo caminho, embora não se saiba como tenham passado tão rápido. Os rostos são sempre os mesmos, mais ou menos; os hábitos não mudaram, nem os turnos de guarda, nem as conversas travadas todas as noites pelos oficiais.

No entanto, olhando de perto, dá para reconhecer nos rostos os sinais dos anos. E a guarnição foi ainda mais reduzida em número, longos trechos de muralha não são mais vigiados, e tem-se acesso a eles sem nenhuma senha, os grupos de sentinelas estão distribuídos só nos pontos essenciais, decidiu-se até fechar o Reduto Novo e mandar para lá, a cada dez dias, um destacamento para inspeção; tão pouca é a importância dada agora pelo comando superior ao forte Bastiani.

A construção da estrada na planície do norte, de fato, não foi levada a sério pelo Estado-Maior. Alguns dizem que é uma das habituais incongruências dos comandos militares, outros dizem que na capital decerto estão mais bem-informados; evidentemente sabe-se que a estrada não tem nenhuma finalidade agressiva; não há, de resto, outra explicação disponível, ainda que pouco convincente.

A vida no forte tornou-se cada vez mais monótona e solitária; o tenente-coronel Nicolosi, o major Monti, o tenente-coronel Matti aposentaram-se. A guarnição é agora comandada pelo tenente-coronel Ortiz, e todos os demais, exceto o chefe dos alfaiates, Prosdocimo, que continuou sargento, foram promovidos.

Numa belíssima manhã de setembro, Drogo, o capitão Giovanni Drogo, mais uma vez sobe a cavalo a íngreme estrada que conduz ao forte Bastiani. Teve um mês de licença, mas após vinte dias já está de volta; a cidade agora se lhe tornou completamente estranha, os velhos amigos tomaram seu caminho, ocupam posições importantes e o cumprimentam apressadamente como a um oficial qualquer. Até sua casa, de que Drogo no entanto continua a gostar, enche-lhe a alma, quando ele volta para lá, de um sofrimento difícil de explicar. A casa está quase sempre vazia, o quarto de sua mãe está vazio para sempre, os irmãos estão constantemente ausentes, um se casou e mora numa cidade diferente, o outro continua viajando, nas salas não há mais sinais de vida familiar, as vozes ecoam com exagero, e abrir as janelas para o sol não é suficiente.

Assim, Drogo sobe mais uma vez o vale do forte e tem 15 anos a menos para viver. Infelizmente ele não se sente muito mudado, o tempo passou tão veloz que a alma não conseguiu envelhecer. E, mesmo que a angústia obscura das horas que passam se torne cada dia maior, Drogo persiste na ilusão de que o importante ainda está para começar. Giovanni aguarda, paciente, a sua hora que nunca chegou, não pensa que o futuro se reduziu terrivelmente, não é mais como antes, quando o tempo vindouro podia parecer-lhe um período imenso, uma riqueza inexaurível que ele não corria nenhum risco em esbanjar.

Entretanto, um dia, deu-se conta de que há muito tempo não ia mais cavalgar na esplanada atrás do forte. Deu-se conta, aliás, de não ter vontade nenhuma e de que nos últimos meses (quem sabe desde quando, exatamente?) não subia mais correndo os degraus da escada de dois em dois. "Bobagens", pensou; fisicamente sentia-se sempre o mesmo, tudo estava para recomeçar, não tinha dúvida; uma prova disso teria sido ridiculamente supérflua.

Não, fisicamente Drogo não piorara, seria ainda capaz de cavalgar e correr escadas acima, mas não é isso o que importa. O grave é que ele não tem mais vontade, que ele prefere, depois do almoço, ficar cochilando ao sol a correr de um lado ao outro pela esplanada pedregosa. É isso o que importa, apenas isso registra a passagem dos anos.

Ah, se tivesse pensado nisso da primeira vez que subiu as escadas, degrau por degrau! Sentia-se um pouco cansado, é verdade, com tontura e nenhuma vontade de jogar a costumeira partida de baralho (mesmo antes, aliás, renunciara a subir correndo as escadas devido a indisposições ocasionais). Não teve a mais remota dúvida de que aquela noite seria muito triste para ele, que naqueles degraus, exatamente naquela hora, estaria terminando sua juventude, que no dia seguinte, por nenhuma razão especial, não voltaria mais ao velho sistema, nem mesmo no outro dia, nem mais tarde, nem nunca.

Agora, enquanto Drogo, meditando, cavalga sob o sol pela estrada íngreme, e o animal, já um tanto cansado, marca o passo, agora, uma voz o chama do outro lado do vale.

— Senhor capitão! — ouviu gritar e, virando-se, avistou na outra estrada, do lado oposto do barranco, um jovem oficial a cavalo; não o reconheceu, mas pareceu-lhe enxergar as divisas de tenente e pensou que fosse um outro oficial do forte que voltava, como ele, de uma licença.

— O que foi? — perguntou Giovanni, detendo-se após ter respondido ao cumprimento regulamentar do outro: que motivo podia ter o tenente para chamá-lo daquele jeito, tão sem cerimônia?

O outro não respondeu.

— O que foi? — repetiu Drogo, com a voz mais alta, dessa vez levemente irritada.

Aprumado na sela, o tenente desconhecido pôs as mãos em concha e respondeu a plenos pulmões:

— Nada, queria cumprimentá-lo.

Drogo achou que a explicação era tola, quase ofensiva, que levava a pensar numa brincadeira. Ainda meia hora a cavalo até a ponte e depois as duas estradas se juntavam. Que necessidade havia então daquela excentricidade?

— Quem está aí? — gritou Drogo de volta.

— Tenente Moro! — foi a resposta, ou melhor, foi esse o nome que o capitão pareceu ter ouvido. "Tenente Moro?", perguntou a si mesmo.

No forte não havia nenhum nome daquela espécie. Quem sabe um novo subalterno que vinha prestar serviço?

Somente então bateu-lhe, com dolorosa ressonância no íntimo, a lembrança do longínquo dia em que, pela primeira vez, subira ao forte, do encontro com o capitão Ortiz, justamente no mesmo ponto do vale, de sua ansiedade em falar com uma pessoa amiga, do embaraçante diálogo através do barranco.

"Exatamente como naquele dia", pensou, com a diferença de que os papéis haviam sido trocados e agora era ele, Drogo, o velho capitão que subia pela centésima vez ao forte Bastiani, enquanto o novo tenente era um certo Moro, uma pessoa desconhecida. Drogo entendeu que transcorrera uma geração inteira nesse ínterim, que ele já ultrapassara o cume da vida para o lado dos velhos, onde naquele dia remoto lhe parecera que se encontrava Ortiz. E com mais de quarenta anos, sem ter feito nada de bom, sem filhos, realmente só no mundo, Giovanni olhava espantado à sua volta, sentindo o próprio destino declinar.

Via rochedos incrustados de touceiras, canais úmidos, longínquas cristas nuas que se amontoavam no céu, a face impassível das montanhas; e do outro lado do vale aquele tenente novo, tímido e desorientado, que se iludia, certo de não permanecer no forte senão poucos meses, e que sonhava com uma carreira brilhante, feitos gloriosos, românticos amores.

Bateu com a mão no pescoço do animal, que virou a cabeça para trás, amigavelmente, mas que decerto não podia entendê-lo. Um nó apertava o coração de Drogo; adeus, sonhos de um tempo distante, adeus, coisas belas da vida. O sol brilhava límpido e benévolo para os homens, um ar revigorante descia do vale, os prados exalavam um bom perfume, cantos de pássaros acompanhavam a música do riacho. "Um dia feliz para os homens", pensou Drogo, e ficava espantado de que nada diferisse, na aparência, de certas maravilhosas manhãs de sua juventude. O cavalo retomou a marcha. Meia hora depois, Drogo avistou a ponte em que se uniam as duas estradas, pensou que dentro em breve deveria pôr-se a falar com o novo tenente e sentiu um grande pesar.

XXVI

Por que agora, concluída a estrada, os estrangeiros desapareceram? Por que homens, cavalos e carros haviam subido novamente a grande planície até penetrar as névoas do norte? Todo aquele trabalho para nada?

Realmente, os esquadrões dos cavadores foram vistos se afastando um por um até se tornarem minúsculos pontinhos, visíveis apenas com a luneta, como 15 anos antes.

O caminho estava aberto para os soldados: que avançasse agora o exército para assaltar o forte Bastiani.

O exército, ao contrário, não foi visto avançando. Através do deserto dos tártaros restava apenas a faixa da estrada, sinal particular de ordem humana no antiquíssimo abandono. O exército não desceu para o assalto, tudo parecia deixado em suspenso, sabe-se lá agora por quantos anos.

Assim, a planície permaneceu imóvel, as névoas setentrionais, paradas, parada a vida regulamentar do forte, as sentinelas repetindo sempre os mesmos passos de um lado para o outro do caminho de ronda, igual à sopa da tropa, um dia idêntico ao outro, repetindo-se ao infinito, como um soldado que marca o passo. Entretanto o tempo voava; sem reparar nos homens, passava aqui e ali pelo mundo, mortificando as coisas bonitas; e ninguém conseguia escapar-lhe, nem mesmo as crianças recém-nascidas, ainda desprovidas de nome.

Também o rosto de Giovanni começava a ficar coberto de rugas, os cabelos tornavam-se grisalhos, o passo, menos ligeiro; o rio da vida jogara-o agora para um lado, para os sorvedouros periféricos, embora no fundo ele não tivesse ainda nem cinquenta anos. Drogo, naturalmente, não fazia mais o serviço de guarda; tinha um gabinete próprio no comando, contíguo ao do tenente-coronel Ortiz.

Quando desciam as trevas, o escasso número de homens da guarda não era mais suficiente para impedir que a noite se apoderasse do forte. Vastos setores das muralhas não eram guardados, e por lá penetravam os pensamentos da escuridão, a tristeza de estarem sozinhos. O velho forte era de fato como uma ilha perdida, rodeada por territórios vazios: à direita e à esquerda as montanhas, ao sul o longo vale desabitado e, do outro lado, a planície dos tártaros. Rumores estranhos como nunca ecoavam nas horas mais tardias, através dos labirintos das fortificações, e o coração das sentinelas punha-se a bater. De uma extremidade à outra das muralhas corria ainda o grito "Alerta! alerta!", mas os soldados faziam muito esforço para transmiti-lo, tamanha a distância que separava um do outro.

Drogo assistiu naquela época às primeiras angústias do tenente Moro, como a uma fiel reprodução da própria juventude. Também Moro de início ficara assustado, recorrera ao major Simeoni, que de certo modo substituía Matti, fora convencido a ficar quatro meses, e acabara por ficar como que amalgamado ao forte; também Moro pusera-se a olhar com demasiada insistência a planície do norte, com sua estrada nova e inutilizada, de onde desciam as esperanças guerreiras. Drogo gostaria de ter-lhe falado, dizer-lhe para tomar cuidado, para partir enquanto era tempo; tanto mais que Moro era um rapaz simpático e escrupuloso. Mas alguma bobagem sempre intervinha para impedir a conversa, e mesmo assim talvez isso tivesse sido inútil.

Tombando uma sobre a outra as páginas cinzentas dos dias, as páginas negras das noites, aumentava em Drogo e em Ortiz (e talvez também em algum outro velho oficial) o afã de não ter mais tempo. Insensíveis aos estragos dos anos, os estrangeiros nunca se moviam, como se fossem imortais e não lhes importasse esbanjar, por brincadeira, longas estações. O forte, por sua vez, abrigava pobres homens indefesos contra o trabalho do tempo, cujo último limite se aproximava. Datas que antigamente pareciam inverossímeis, de tão remotas, agora se aproximavam repentinamente do horizonte próximo, recordando os duros prazos da vida. Às vezes, para poder continuar, era preciso estabelecer um novo sistema, encontrar novos termos de comparação, consolar-se com aqueles que estavam pior.

Até que também Ortiz precisou ser aposentado (e na planície do norte não se percebia o menor indício de vida, nem mesmo um minúsculo lume). O tenente-coronel Ortiz transmitiu as instruções ao novo comandante, Simeoni, reuniu a tropa no pátio, exceto, naturalmente, os destacamentos em serviço de guarda, fez com dificuldade um discurso, montou em seu cavalo com a ajuda do ordenança e saiu pela porta do forte. Um tenente e dois soldados o escoltavam.

Drogo acompanhou-o até a borda da esplanada, onde se despediram. Era a manhã de um longo dia de verão, no céu passavam nuvens cujas sombras manchavam de modo estranho a paisagem. Descendo do cavalo, o tenente-coronel Ortiz ficou apartado com Drogo, e ambos calavam, sem saber como dizer adeus. Depois saíram palavras forçadas e banais, muito diferentes e mais pobres que aquilo que eles tinham no coração.

— Para mim, agora a vida muda — disse Drogo. — Gostaria de ir embora também. Quase tenho vontade de pedir baixa.

—Você ainda é jovem! — disse Ortiz. — Seria uma estupidez, você ainda terá tempo!

— Tempo para quê?

— Tempo para a guerra. Verá, não passarão dois anos — assim dizia, mas no íntimo esperava que não, na realidade ele desejava que Drogo voltasse como ele, sem ter tido a grande sorte; iria parecer-lhe uma injustiça. Embora tivesse grande amizade por Drogo e lhe desejasse o melhor.

Mas Giovanni não disse nada.

—Verá, não passarão dois anos realmente — insistiu Ortiz, esperando ser contrariado.

— Muito mais de dois anos — disse Drogo, finalmente. — Passarão séculos, e não bastarão. A estrada já está abandonada, não virá mais ninguém do Norte. — Embora fossem essas as suas palavras, a voz do coração era outra: absurdo, refratário aos anos, conservava-se nele, desde a época da juventude, aquele profundo pressentimento de coisas fatais, uma obscura certeza de que o bom da vida ainda estava para começar.

Calaram-se novamente, percebendo que aquela conversa ia separando um do outro. Mas o que podiam dizer-se, tendo vivido juntos quase trinta anos entre os mesmos muros, com os mesmos sonhos? Suas duas estradas, após tanta marcha, agora se dividiam; uma daqui e outra dali, afastavam-se rumo a lugares desconhecidos.

— Que sol! — disse Ortiz, e olhava, com os olhos um tanto embaciados pela idade, as muralhas de seu forte, que estava prestes a abandonar para sempre. Elas pareciam as mesmas, com a cor amarelada de sempre, seu perfil romanesco. Ortiz as olhava intensamente, e ninguém, afora Drogo, poderia adivinhar o quanto estava sofrendo.

— Está fazendo calor, realmente — respondeu Drogo, lembrando-se de Maria Vescovi, daquele remoto encontro na sala de estar, enquanto pairavam, melancólicos, os acordes do piano.

— Um dia escaldante, realmente — acrescentou Ortiz, e ambos sorriram: um instintivo sinal de entendimento como para dizer que conheciam bem o significado daquelas palavras tolas. Agora uma nuvem os alcançara com sua sombra, por alguns instantes a esplanada inteira tornou-se escura, e reluziu por contraste o sinistro esplendor do forte, ainda imerso no sol. Dois grandes pássaros sobrevoavam o primeiro reduto. Ouviu-se ao longe, quase imperceptível, um toque de clarim.

— Ouviu? O clarim — disse o velho oficial.

— Não, não ouvi — respondeu Drogo, mentindo, pois sentia vagamente que assim agradava ao amigo.

— Talvez tenha me enganado. Estamos muito longe, realmente — admitiu Ortiz, com a voz tremendo, e depois acrescentou, com dificuldade: — Lembra-se da primeira vez, quando você chegou aqui e ficou assustado? Não queria ficar, você se lembra?

Drogo só conseguiu dizer:

— Faz muito tempo... — Um estranho nó apertou-lhe a garganta.

Em seguida Ortiz ainda disse algo, como que correndo atrás de seus pensamentos:

— Quem sabe — disse —, talvez numa guerra eu pudesse ser útil. Numa guerra; e para o resto nada, como aliás se viu.

A nuvem passara, já ultrapassava o forte, agora se espalhava através da desolada planície dos tártaros, cada vez mais para o norte, silenciosa. Adeus, adeus. Retornando o sol, os dois homens faziam sombra de novo. Os cavalos de Ortiz e da escolta, uns vinte metros adiante, batiam com os cascos nas pedras, aparentando impaciência.

XXVII

Vira-se a página, passam-se meses e anos. Os que foram companheiros de escola de Drogo estão quase cansados de trabalhar, têm barbas aparadas e grisalhas, caminham com elegância pelas cidades, são cumprimentados respeitosamente, seus filhos são homens feitos, alguns já são avôs. Os velhos amigos de Drogo, à soleira da casa que construíram, gostam de se deter por um instante a fim de observar, satisfeitos com a própria carreira, de que maneira corre o rio da vida, e no torvelinho da multidão divertem-se em distinguir os próprios filhos, incitando-os a ser rápidos, ultrapassar os outros, chegar primeiro. Giovanni Drogo, ao contrário, ainda espera, embora a esperança enfraqueça a cada novo minuto.

Agora sim, ele finalmente mudou. Tem 54 anos, a patente de major e o segundo comando da escassa guarnição do forte. Até pouco tempo atrás não havia mudado muito, podia-se dizê-lo ainda jovem. De tempos em tempos, ainda que com dificuldade, dava, como exercício, alguns passeios a cavalo pelo planalto.

Depois, começou a emagrecer, seu rosto cobriu-se de uma triste cor amarela, os músculos se afrouxaram. Distúrbios hepáticos, dizia o dr. Rovina, já então muitíssimo velho, decidido a terminar a vida lá em cima. Mas os pozinhos do dr. Rovina não fizeram efeito: Giovanni, de manhã, acordava com uma desencorajante canseira, que o atacava na nuca. Sentando-se em seguida em seu gabinete, não via a hora que a noite chegasse para poder deixar-se cair numa poltrona ou na cama. "Distúrbios hepáticos agravados por exaustão geral", dizia o médico, mas estranha era a exaustão, com a vida que Giovanni levava. "De qualquer modo, é uma coisa passageira, frequente nessa idade", dizia o dr. Rovina, "um tanto demorada, talvez, mas sem nenhum perigo de complicações."

Inseriu-se desse modo na vida de Drogo uma esperança suplementar, a esperança de sarar. De resto, não se mostrava impaciente. O deserto setentrional continuava sempre vazio, nada fazia pressentir uma eventual invasão inimiga.

"Está com uma aparência melhor", diziam-lhe quase todos os dias os colegas, mas na verdade Drogo não sentia a mínima melhora. Haviam desaparecido as dores de cabeça e as penosas diarreias dos primeiros tempos; nenhuma dor específica o atormentava. As energias, no todo, tornavam-se, porém, cada vez mais fracas.

Simeoni, o comandante do forte, dizia-lhe:

"Tire uma licença, vá descansar, uma cidade à beira-mar lhe faria bem."

E quando Drogo dizia que não, que já se sentia melhor, que preferia ficar, Simeoni sacudia a cabeça, reprovando, como se Drogo recusasse por ingratidão um conselho precioso, correspondente em tudo ao espírito do regulamento, à eficiência da guarnição e à própria vantagem pessoal. Pois Simeoni conseguia até fazer que se sentisse saudade de Matti, de tanto que fazia pesar sobre os outros sua virtuosa perfeição.

Qualquer que fosse a conversa que mantivesse, suas palavras, bastante cordiais na superfície, tinham sempre um vago sabor de repreensão para todos os demais, como se ele sozinho cumprisse o dever até o fim, ele sozinho fosse a sustentação do forte, ele sozinho conseguisse remediar os infinitos contratempos que de outro modo teriam posto tudo a perder. Mesmo Matti, em seus bons tempos, fora um pouco assim, só que menos hipócrita; Matti não tinha pejo em expor a aridez de seu coração, e algumas das brutais grosserias aos soldados não chegavam de fato a incomodar.

Por sorte Drogo se tornara amigo do dr. Rovina e obtivera sua cumplicidade para poder ficar. Uma obscura superstição dizia-lhe que, se deixasse agora o forte, por doença, nunca mais voltaria. Esse pensamento causava-lhe angústia. Vinte anos antes, sim, gostaria de ter podido partir, meter-se na plácida e brilhante vida de guarnição, com as manobras de verão, os treinamentos de tiro, as corridas a cavalo, os teatros, a sociedade, as belas senhoras. Mas agora o que lhe teria sobrado? Faltavam poucos anos para a sua aposentadoria, a carreira estava terminada, quando muito podiam dar-lhe um posto em algum comando, só para que terminasse o serviço. Restavam-lhe poucos anos, a última reserva, e quem sabe antes do fim pudesse ocorrer o acontecimento esperado. Jogara fora os melhores anos, agora queria ao menos esperar até o último momento.

Rovina, para apressar a cura, aconselhou Drogo a não se cansar, a ficar na cama o dia inteiro e a mandar trazer ao quarto o serviço a ser despachado. Isso acontecia num março frio e chuvoso, acompanhado de inúmeros desmoronamentos nas montanhas; pináculos inteiros desabavam repentinamente, espatifando-se nos abismos, e lúgubres ecos estrondavam na noite, durante horas a fio.

Finalmente, com extrema dificuldade, começou a anunciar-se a boa estação. A neve sobre o desfiladeiro já derretera, mas névoas úmidas demoravam-se sobre o forte. Era necessário um sol intenso para enxotá-las, tão definhado pelo inverno estava o ar dos vales. Porém, certa manhã, ao acordar, Drogo viu brilhar sobre o soalho de madeira uma bela réstia de sol e sentiu que chegara a primavera.

Deixou-se invadir pela esperança de que ao bom tempo correspondesse nele uma semelhante retomada de forças. Até nas velhas vigas ressuscita, na primavera, um resíduo de vida; dali emanam os inumeráveis estalos que povoam aquelas noites. Tudo parece recomeçar, uma golfada de saúde e de alegria derrama-se sobre o mundo.

Drogo pensava nisso com intensidade, invocando de cabeça escritos de ilustres autores sobre o assunto, com o objetivo de convencer-se. Levantando-se da cama, foi cambaleando até a janela. Sentiu um princípio de tontura, mas consolou-se ao pensar que sempre acontece assim quando se levanta após muitos dias de cama, ainda que se tenha sarado. De fato, a tontura passou, e Drogo pôde ver o esplendor do sol.

Uma alegria sem limites parecia espalhar-se pelo mundo. Drogo não podia constatá-la diretamente porque na frente havia o muro, mas a intuía sem dificuldade. Até as velhas paredes, a terra roxa do pátio, as banquetas de madeira desbotada, uma carreta vazia, um soldado que passava lentamente, pareciam contentes. Quem sabe lá fora, além das muralhas!

Ficou tentado a vestir-se, a sentar-se ao ar livre numa poltrona para tomar sol, mas um leve arrepio deu-lhe medo, aconselhando-o a voltar para a cama. "Mas hoje eu me sinto melhor, realmente melhor", pensava, convencido de que não se iludia.

Calmamente avançava a estupenda manhã de primavera, a réstia de sol no soalho ia se deslocando. Drogo a observava de vez em quando, sem nenhuma vontade de examinar a papelada amontoada numa mesa ao lado. Reinava, além disso, um extraordinário silêncio, ao qual não causavam danos os raros toques de clarim nem os baques da cisterna. Mesmo depois da nomeação de major, Drogo não quis absolutamente mudar de quarto, como se temesse que não lhe traria sorte; mas já então os soluços do reservatório haviam se tornado um hábito profundo e não lhe causavam nenhum aborrecimento.

Drogo observava uma mosca parada no chão, justamente sobre a réstia de sol, bicho estranho naquela estação, sabe-se lá como sobrevivera ao inverno. Observava-a andar com sobriedade, quando alguém bateu à porta.

Era uma batida diferente das de sempre, notou Giovanni. Não era decerto o ordenança, nem o capitão Corradi, da secretaria, o qual costumava, ao contrário, pedir licença, nem qualquer outro dos visitantes habituais.

— Entre! — disse Drogo. Abriu-se a porta e entrou o velho chefe dos alfaiates, Prosdocimo, completamente curvo agora, com uma roupa estranha que um dia devia ter sido um uniforme de sargento. Entrou um tanto ofegante, fez um sinal com o indicador direito, referindo-se a algo além das muralhas.

—Vêm vindo! Vêm vindo! — exclamou em surdina, como se fosse um grande segredo.

— Quem vem vindo? — perguntou Drogo, espantado por ver o chefe dos alfaiates tão inquieto. "Estou frito", pensou, "esse aí começa a falar e vai em frente durante uma hora, pelo menos."

— Pela estrada, vêm vindo, se Deus quiser, pela estrada do Norte! — Foram todos ao terraço para ver.

— Da estrada do Norte? Soldados?

— Aos batalhões, aos batalhões! — gritava, fora de si, o velhinho, fechando os punhos. — Dessa vez não há erro, e além disso chegou uma carta do Estado-Maior, para avisar que está nos mandando reforços! A guerra, a guerra, a guerra! — gritava, e não era possível entender se estava também um tanto assustado.

— E já são visíveis? — perguntou Drogo. — São visíveis mesmo sem luneta? — Levantara-se para sentar-se na cama, invadido por uma enorme agitação.

— Por Deus, se são visíveis! Os canhões são visíveis, já contaram 18!

— E quando poderão atacar, quanto tempo nos darão ainda?

— Ah, com a estrada, chegam rápido, eu digo que dentro de dois dias estarão aqui, dois dias no máximo!

"Maldita cama", disse Drogo a si mesmo, "estou aqui entrevado pela doença." Nem lhe passou pela cabeça que Prosdocimo tivesse inventado uma história, repentinamente ele sentiu que tudo era verdade, dera-se conta de que até o ar de algum modo havia mudado, até mesmo a luz do sol.

— Prosdocimo — disse com ansiedade. — Vá chamar Luca para mim, o meu ordenança, é inútil você tocar a campainha, deve estar lá embaixo na secretaria esperando que lhe deem uns papéis, vá logo, por favor!

— Depressa, senhor major — recomendou Prosdocimo, retirando-se. — Não pense mais em seus achaques, venha o senhor também até as muralhas para ver!

Saiu rapidamente, esquecendo-se de fechar a porta; ouviu-se o som de seus passos se afastando pelo corredor, em seguida retornou o silêncio.

"Deus, faça com que eu melhore, suplico-lhe, pelo menos por seis ou sete dias", sussurrou Drogo sem conseguir dominar a excitação. Queria levantar-se logo, a todo custo, ir imediatamente até as muralhas, mostrar-se a Simeoni, fazê-lo entender que ele não faltava, que estava em seu posto de comando, que assumiria suas responsabilidades como de costume, como se não estivesse doente.

Bam! Uma corrente de vento no corredor fez bater inoportunamente a porta. No vasto silêncio o barulho ecoou forte e maligno, como resposta à prece de Drogo. E por que Luca não vinha, quanto demoraria aquele imbecil para subir dois lances de escada?

Sem esperá-lo, Drogo saiu da cama e foi tomado por uma onda de vertigem que lentamente, porém, se dissolveu. Agora estava diante do espelho e fitava, assustado, o próprio rosto, amarelado e gasto. "É a barba que me faz ficar assim", tentou dizer Giovanni a si mesmo; e a passos incertos, ainda com o pijama, andou pelo quarto à procura da navalha. Mas por que Luca não se decidia a vir?

Bam!, fez a porta novamente, agitada pela corrente. "Que o diabo a carregue!", disse Drogo, e foi fechá-la. Nesse instante ouviu os passos do ordenança que se aproximavam.

Barbeado e vestido como manda o regulamento — mas sentindo-se dançar dentro do uniforme demasiado largo —, o major Giovanni Drogo seguiu pelo corredor, que lhe pareceu mais comprido que de costume. Luca estava ao seu lado, um pouco mais atrás, pronto a ampará-lo, pois via que o oficial a custo se mantinha de pé. As ondas de vertigem voltavam aos sobressaltos, a cada vez Drogo precisava parar, apoiando-se à parede. "Estou me agitando demais, o nervosismo de sempre", pensou, "no todo, porém, sinto-me melhor."

Realmente as tonturas passaram, e Drogo chegou ao terraço mais alto do forte, onde vários oficiais perscrutavam com as lunetas o triângulo visível de planície, deixado livre pelas montanhas. Giovanni ficou deslumbrado com o esplendor do sol pleno, a que não estava mais habituado, respondeu confusamente aos cumprimentos dos oficiais presentes. Pareceu-lhe, mas talvez fosse uma interpretação maligna, que os subalternos o cumprimentavam com certo desembaraço, como se ele não fosse mais o seu superior imediato, o árbitro num certo sentido de suas vidas cotidianas. Já o consideravam liquidado?

Esse pensamento desagradável foi breve, voltando a preocupação maior: a ideia da guerra. A primeira coisa que Drogo viu, do beiral do Reduto Novo, foi uma fumacinha se elevando; portanto, fora recolocada a guarda, haviam sido tomadas medidas de exceção, o comando já se pusera em movimento, sem que ninguém tivesse interpelado a ele, o segundo-comandante. Não o tinham sequer avisado, aliás. Se Prosdocimo, por iniciativa própria, não tivesse ido chamá-lo, Drogo ainda estaria na cama, ignorando a ameaça.

Foi tomado de uma ira violenta e amarga, seus olhos se embaciaram, precisou apoiar-se no parapeito do terraço, e o fez controlando-se ao máximo, para que os outros não percebessem a que estado ele se reduzira. Sentia-se horrivelmente sozinho, entre gente inimiga. Havia alguns jovens tenentes, como Moro, que lhe eram afeiçoados, mas de que lhe valia o apoio dos subalternos?

Naquele ínterim ouviu baterem continência. A passos precipitados avançou o tenente-coronel Simeoni, com o rosto vermelho.

— Há meia hora que estou à sua procura por toda parte! — exclamou para Drogo. — Não sabia mais o que fazer. É preciso tomar providências!

Achegou-se com exuberante cordialidade, franzindo as sobrancelhas, como se estivesse preocupadíssimo e ansioso por obter os conselhos de Drogo. Giovanni sentiu-se desarmado, sua ira arrefeceu de repente, embora soubesse muito bem que Simeoni o estava enganando. Simeoni pensara que Drogo não se moveria, não ligara mais para ele, decidira, por sua conta, informá-lo quando tudo tivesse sido executado: depois lhe disseram que Drogo estava andando pelo forte, e correra ao encontro dele, ansioso por mostrar sua boa-fé.

— Tenho aqui uma mensagem do general Stazzi — disse Simeoni, prevenindo qualquer pergunta de Drogo e apartando-se com ele para que os outros não pudessem ouvir. — Estão chegando dois regimentos, entende? Onde os coloco?

— Dois regimentos de reforço? — perguntou Drogo, espantado. Simeoni entregou-lhe a mensagem. O general anunciava que, por medida de segurança, temendo-se possíveis provocações inimigas, dois regimentos, o 17º de Infantaria, mais um segundo de formação, com um grupo de artilharia ligeira, haviam sido enviados para reforçar a guarnição do forte; que fosse restabelecido, logo que possível, o serviço de guarda de acordo com os antigos quadros, quer dizer, com força total, que fossem preparados os acantonamentos para oficiais e soldados. Uma parte, naturalmente, ficaria acampada.

— Enquanto isso mandei um pelotão ao Reduto Novo. Fiz bem, não? — acrescentou Simeoni, sem dar tempo a Drogo para responder. — Já os viu?

— Sim, sim, fez bem — respondeu Drogo com dificuldade. As palavras de Simeoni penetravam-lhe nos ouvidos com um som isolado e irreal, as coisas ao redor oscilavam desagradavelmente. Drogo sentia-se mal, um esgotamento atroz o invadira de repente, toda a sua vontade estava concentrada no esforço único de manter-se de pé. "Ó Deus, ó Deus", suplicou Drogo mentalmente, "ajude-me um pouco!"

Para disfarçar a crise, pediu que lhe dessem uma luneta (era a famosa luneta do tenente Simeoni) e pôs-se a olhar para o norte, apoiando os cotovelos no parapeito, o que o ajudava a manter-se de pé. Ah, se pelo menos os inimigos tivessem esperado um pouco, uma semana teria sido suficiente para que ele pudesse se recobrar, haviam esperado tantos anos, não podiam ter atrasado mais uns dias, uns dias apenas?

Olhou pela luneta o triângulo visível de deserto, esperou não enxergar nada, que a estrada estivesse vazia, que não houvesse nenhum sinal de vida; era o que Drogo desejava para si mesmo, após ter consumido a vida à espera do inimigo.

Esperava não ver nada, e, ao contrário, uma faixa negra atravessava obliquamente o fundo embranquecido da planície, e essa faixa se mexia, um denso formigueiro de homens e comboios que descia na direção do forte. Diferente das míseras fileiras de soldados no tempo da demarcação da fronteira, era o exército do Norte, finalmente, e quem sabe...

Nessa altura Drogo viu a imagem pela luneta pôr-se a rodar num movimento de vórtice, tornar-se cada vez mais escura, tombar na escuridão. Sem sentidos, esmoreceu sobre o parapeito como um fantoche. Simeoni amparou-o a tempo; sustentando o corpo vazio de vida, sentiu, através do pano, a descarnada armação dos ossos.

XXVIII

Passaram-se um dia e uma noite, o major Giovanni Drogo jazia na cama, de vez em quando chegava o rítmico baque da cisterna e nenhum outro ruído, embora no forte inteiro crescesse a cada minuto uma ansiosa efervescência. Isolado de tudo, Drogo estava tenso, escutando o próprio corpo, caso as forças perdidas começassem a voltar. O dr. Rovina dissera-lhe que seria questão de dias. Mas de quantos, na realidade? Poderia, quando chegassem os inimigos, pelo menos ficar de pé, arrastar-se até a cobertura do forte? De vez em quando levantava-se da cama, às vezes parecia-lhe sentir-se um pouco melhor, andava sem se apoiar até a frente do espelho, mas ali a imagem sinistra de seu rosto, terroso e cavado, apagava as novas esperanças. Ofuscado pela tontura, voltava cambaleando para a cama, amaldiçoava o médico que não conseguia curá-lo.

A réstia de sol no chão dera uma ampla volta, seriam pelo menos 11 horas, vozes insólitas alçavam-se do pátio, e Drogo jazia imóvel, com os olhos no teto, quando entrou no quarto o tenente-coronel Simeoni, comandante do forte.

— Como vai? — perguntou com vivacidade. — Um pouco melhor? Você está muito pálido, sabe?

— Eu sei — respondeu Drogo, friamente. — E do Norte, já avançaram?

— Mais do que isso — disse Simeoni. — Os artilheiros já estão no topo do socalco, e agora estão se colocando... Mas você deve me desculpar se não vim... Isto aqui virou um inferno. À tarde chegam os primeiros reforços, só agora fiquei livre por cinco minutos...

Drogo disse, e espantou-se ao constatar que sua voz tremia:

— Espero poder me levantar amanhã, poderei ajudá-lo um pouco.

— Ah, não, não, nem pense nisso, pense em sarar agora, e não acredite que eu o tenha esquecido. Aliás, tenho uma boa notícia: hoje virá uma magnífica carruagem para apanhá-lo. Guerra ou não guerra, os amigos antes de tudo... — ousou dizer.

— Uma carruagem para apanhar-me? Por que para apanhar-me?

— Mas, claro, para vir apanhá-lo. Não vai querer continuar sempre aqui neste quarto, na cidade vai se cuidar melhor, dentro de um mês estará novamente de pé. E não se preocupe com as coisas daqui, agora já está tudo preparado.

Uma terrível ira invadiu o peito de Drogo. Ele, que jogara fora as melhores coisas da vida para esperar os inimigos, que há mais de trinta anos se alimentara daquela única fé, era enxotado justo agora que finalmente a guerra chegava?

— Devia ter me consultado, pelo menos — respondeu, com a voz trêmula de raiva. — Não saio daqui, quero ficar, estou menos doente do que você imagina, amanhã eu me levanto...

— Não se agite, por favor, não faremos nada disso, se ficar agitado será muito pior — disse Simeoni, com um sorriso forçado. — Eu achava que seria muito melhor; Rovina também recomendou...

— Rovina o quê? Foi Rovina quem lhe disse para mandar vir a carruagem?

— Não, não. Não se falou sobre isso com Rovina. Mas ele diz que lhe faria bem mudar de ares.

Drogo então pensou em falar a Simeoni como a um verdadeiro amigo, em abrir seu coração, como teria feito com Ortiz; até Simeoni, no fundo, era um homem.

— Escute, Simeoni — tentou, mudando de tom. — Você sabe que aqui no forte... todos ficamos na esperança de... É difícil dizer, mas até você sabe muito bem... — Não conseguia explicar-se: como fazer entender certas coisas a um homem daqueles? — Se não fosse por essa possibilidade...

— Não entendo — disse Simeoni com evidente irritação. "Drogo estava se tornando também patético?", pensou. "A doença o enfraquecera tanto assim?"

— Mas claro que deve entender — insistiu Giovanni. — Há mais de trinta anos estou aqui à espera... Deixei passar muitas oportunidades. Trinta anos são alguma coisa, tudo para esperar os inimigos. Não pode querer agora que eu parta, não pode querer, tenho o direito de permanecer aqui, acho...

— Bem — replicou Simeoni, irritado. — Acreditava estar lhe prestando um favor, e você me responde desse jeito. Não valia a pena mesmo. Enviei dois mensageiros para isso, atrasei a marcha de uma bateria para deixar passar a carruagem.

— Mas não estou reclamando de você — disse Drogo. — Antes, fico-lhe reconhecido, você o fez por bem, eu entendo... — "Ah, que sofrimento", pensava, "ter de aguentar aquele infame!" — Depois, a carruagem pode ficar aqui, agora não estou nem em condições de fazer semelhante viagem — acrescentou incautamente.

— Há pouco você dizia que se levantaria amanhã, agora diz não poder nem mesmo subir na carruagem, desculpe-me, mas nem você sabe o que quer...

Drogo tentou consertar:

— Ah, não, é bem diferente, uma coisa é fazer uma viagem dessas e outra é ir até o caminho de ronda, posso até levar um banquinho e me sentar, se me sentir fraco — pensara em dizer "uma cadeira", mas a coisa podia parecer ridícula. — De lá posso controlar o serviço, posso pelo menos ver.

— Fique, fique então! — disse Simeoni, como para concluir. — Mas não sei onde colocarei os oficiais que chegam para dormir, não posso colocá-los nos corredores, não posso colocá-los no porão! Neste quarto podiam caber três camas...

Drogo fitou-o, enregelado. Então Simeoni chegava a tanto? Queria despachá-lo para ter um quarto livre? Unicamente por isso? Coisa diferente de cuidado e amizade. "Devia tê-lo compreendido desde o começo", pensou Drogo, "só isso se podia esperar de um canalha daqueles."

Uma vez que Drogo se calava, Simeoni, encorajado, insistiu:

— Aqui cabem muito bem três camas. Duas ao longo daquela parede e a terceira naquele canto. Está vendo? Drogo, se você me der ouvidos — especificou, sem o mínimo respeito humano —, se você me der ouvidos, facilita o meu trabalho, ao passo que, se ficar aqui, desculpe, sabe, se lhe digo, não sei o que você pode fazer de útil, nas condições em que está.

— Bem — interrompeu-o Giovanni. — Entendi, agora chega, peço-lhe, estou com dor de cabeça.

— Desculpe-me — disse o outro —, desculpe-me se insisto, mas quero resolver logo este assunto. Além disso, a carruagem já está a caminho. Rovina é favorável à partida, um quarto ficaria livre, você sara mais depressa, e no fundo eu também, se o mantiver aqui doente, assumo uma grande responsabilidade, se por acaso acontecer uma desgraça. Você me obriga a assumir uma grande responsabilidade, digo-lhe com sinceridade.

— Escute — respondeu Drogo, mas sabia o quanto era absurdo lutar; entretanto fitava a réstia de sol que subia pela parede de madeira, alongando-se obliquamente. — Desculpe-me se lhe digo que não, que prefiro ficar. Você não terá nenhuma amolação, garanto-lhe; se quiser, faço-lhe uma declaração por escrito. Vá, Simeoni, deixe-me em paz, talvez me reste pouco tempo de vida, deixe-me ficar aqui, há mais de trinta anos que durmo neste quarto...

O outro calou-se por um instante, fitou com desprezo o colega doente, deu um sorriso perverso, depois perguntou com a voz alterada:

— E se eu lhe pedisse como superior? Se fosse uma ordem, o que você poderia dizer? — E aqui fez uma pausa, saboreando a impressão causada. — Desta vez, caro Drogo, não está demonstrando o seu habitual espírito militar, desagrada-me precisar dizê-lo, mas no final das contas você vai embora com certeza, sabe-se lá quantos não trocariam de lugar com você. Admito até que lhe desagrade, mas não se pode ter tudo nesta vida, é preciso ser razoável... Agora mando-lhe o seu ordenança para que arrume suas coisas, às duas a carruagem deverá estar aqui. A gente se vê mais tarde, então...

Assim disse e saiu depressa, deliberadamente, para não dar tempo a Drogo para novas objeções. Fechou a porta precipitadamente, afastou-se pelo corredor a passos rápidos, de pessoa satisfeita consigo mesma, que domina perfeitamente a situação.

Sobrou um pesado silêncio. Ploc!, fez atrás do muro a água da cisterna. Depois só se ouviu no quarto o ofegar de Drogo, parecido com soluços. E lá fora o dia estava em seu maior esplendor, até as pedras começavam a se aquecer, distante e igual ouvia-se o som da água nos paredões escarpados, os inimigos se amontoavam embaixo do último socalco diante do forte, pela estrada da planície desciam ainda tropas e carros. Nos bastiões do forte tudo está pronto, as munições em regra, os soldados bem-dispostos, as armas passadas em revista. Todos os olhares estão voltados para o norte, ainda que não se enxergue nada por causa das montanhas fronteiriças (somente do Reduto Novo pode-se avistar tudo aquilo). Assim como nos dias longínquos, quando vieram os estrangeiros para demarcar as fronteiras, há uma suspensão de ânimos, entre alternados sopros de medo e de alegria. Por isso ninguém tem tempo para se lembrar de Drogo, que está se vestindo, ajudado por Luca, e prepara-se para ir embora.

XXIX

Era realmente uma magnífica carruagem, exagerada até, para aquelas estradas toscas. Podia parecer a de um rico senhor, se não houvesse nas portinholas o emblema do regimento. Na boleia estavam dois soldados, o cocheiro e o ordenança de Drogo.

Ninguém, em meio ao alvoroço do forte, aonde já chegavam os primeiros escalões de reforços, prestou muita atenção num oficial magro, de rosto descarnado e amarelo, que descia lentamente as escadas, dirigindo-se ao saguão de entrada, e saía para onde estava parada a carruagem.

Na esplanada, inundada de sol, via-se avançar naquele momento uma longa fileira de soldados, de cavalos e de jumentos, provenientes do vale. Embora cansados pela marcha forçada, os militares aceleravam o passo à medida que se aproximavam do forte, e os músicos, à frente, foram vistos tirando os forros de pano cinza dos instrumentos, como se se preparassem para tocar.

Alguns, entretanto, cumprimentavam Drogo, mas poucos, e não mais como antes. Todos sabiam, parecia, que ele estava indo embora e que agora já não representava mais nada na hierarquia do forte. O tenente Moro e alguns outros vieram desejar-lhe boa viagem; foi, porém, uma despedida curtíssima, com aquela afeição genérica que é própria dos jovens para com as velhas gerações. Um disse a Drogo que o senhor comandante Simeoni lhe pedia para esperar, naquele momento estava ocupadíssimo, o senhor major Drogo tivesse a bondade de aguardar alguns minutos, o senhor comandante viria sem falta.

Logo que subiu à carruagem, Drogo, ao contrário, deu ordem para partir imediatamente. Mandara baixar a capota para respirar melhor, envolvera as pernas com duas ou três cobertas escuras, sobre as quais se destacava o brilho do sabre.

Andando aos solavancos sobre os calhaus, a carruagem distanciou-se pela esplanada pedregosa, conduzindo Drogo ao termo final de seu caminho. Virado de lado no assento, com a cabeça balançando a cada salto das rodas, Drogo fitava os muros amarelos do forte, que se tornavam cada vez mais baixos.

Lá em cima decorrera sua existência segregada do mundo, à espera do inimigo ele se atormentara por mais de trinta anos, e agora que os estrangeiros chegavam, mandavam-no embora. Mas seus companheiros, os outros que lá na cidade haviam levado uma vida fácil e alegre, ei-los agora chegando ao desfiladeiro, com sorrisos superiores de desdém, para colher os lauréis da glória.

Os olhos de Drogo fitavam, intensos como nunca, as paredes amareladas do forte, os perfis das casamatas e dos paióis. Lentas lágrimas amargas rolavam por sua pele enrugada, tudo terminava miseravelmente e não restava nada a dizer.

Nada, realmente nada ficava disponível para Drogo, ele estava só no mundo, doente, e o haviam enxotado como a um leproso. "Malditos, malditos", dizia. Mas depois preferiu abandonar-se, não pensar em mais nada, de qualquer modo um insuportável transbordamento de raiva enchia-lhe o peito.

O sol já caminhava para o poente, faltava no entanto muita estrada a percorrer, os dois soldados na boleia tagarelavam tranquilamente, indiferentes à partida. Eles haviam aceitado a vida como ela era, sem se angustiar com pensamentos absurdos. A carruagem, de excelente construção, uma verdadeira carruagem de doente, oscilava a cada buraco do terreno como uma delicada balança. E o forte, no conjunto do panorama, tornava-se cada vez menor e achatado, se bem que suas muralhas brilhassem estranhamente naquela tarde de primavera.

"A última vez, provavelmente", pensou Drogo, quando a carruagem atingiu a borda da esplanada, lá onde a estrada começava a mergulhar no vale. "Adeus, forte", disse a si mesmo. Mas Drogo estava entontecido e não teve sequer a coragem de mandar parar os cavalos para olhar mais uma vez o velho casarão, que só agora, após séculos, estava prestes a começar uma vida justa.

Por um instante ainda ficou nos olhos de Drogo a imagem das muralhas amareladas, dos bastiões oblíquos, dos misteriosos redutos, dos penhascos laterais, negros por causa do degelo. Pareceu a Giovanni — mas foi por um milionésimo de segundo — que as muralhas se alongavam repentinamente para o céu, rebrilhando de luz, depois toda a visão foi cortada brutalmente pelas rochas relvosas, entre as quais se aprofundava a estrada.

Chegou por volta das cinco a uma pequena estalagem, lá onde a estrada corria sobre o flanco da garganta. No alto, como uma miragem, elevavam-se caóticas cristas de vegetação e de terra roxa, morros desolados onde talvez o homem nunca tivesse estado. No fundo corria o rio.

A carruagem parou no pequeno pátio diante da estalagem justamente quando passava um batalhão de mosqueteiros. Drogo viu passarem ao seu redor rostos juvenis, vermelhos de suor e de cansaço, olhos que o fitavam, admirados. Apenas os oficiais o cumprimentaram. Ouviu uma voz dentre os que haviam se afastado: "Vai bem-instalado, o velhinho!" Ninguém riu, porém. Enquanto eles iam à batalha, ele descia à insignificante planície. "Que oficial ridículo!", pensavam provavelmente os soldados, a menos que não tivessem lido em seu rosto que ele também ia para a morte.

Não conseguia livrar-se daquela vaga tontura semelhante à névoa: talvez tivesse sido o balanço da carruagem, talvez a doença, talvez simplesmente a dor de ver terminar miseravelmente a vida. Nada mais lhe interessava, absolutamente. A ideia de retornar à sua cidade, de perambular a passos arrastados pela velha casa deserta ou de jazer numa cama durante longos meses de tédio e solidão dava-lhe medo. Não tinha nenhuma pressa de chegar. Decidiu passar a noite na estalagem.

Esperou que o batalhão acabasse de passar, que a poeira levantada pelos soldados recaísse sobre seus passos, que o estrondo de seus carros fosse coberto pela voz do rio. Depois desceu devagar da carruagem, apoiando-se nos ombros de Luca.

À soleira estava sentada uma mulher, ocupada em tricotar uma meia, e a seus pés dormia, num rústico berço, uma criança. Drogo fitou espantado aquele sono maravilhoso, tão diferente do dos homens grandes, tão delicado e profundo. Não haviam nascido ainda naquele ser os sonhos turvos, a pequena alma vagava despreocupada, sem desejos ou remorsos, por um ar puro e calmo. Drogo permaneceu parado, admirando a criança adormecida, e uma aguda tristeza penetrava em seu coração. Tentou imaginar a si mesmo mergulhado no sono, um Drogo estranho que ele nunca pudera conhecer. Imaginou o aspecto do próprio corpo, bestialmente adormecido, sacudido por arquejos obscuros, com a respiração pesada, a boca entreaberta e caída. Entretanto, também ele, um dia, dormira como aquela criança, também ele fora gracioso e inocente, e, quem sabe, um velho oficial doente parara para vê-lo, com amarga estupefação. "Pobre Drogo", disse a si mesmo, e compreendia como isso era frágil, mas no fim ele estava só no mundo, e, além dele mesmo, ninguém mais o amava.

XXX

Encontrou-se sentado numa larga poltrona, num quarto de dormir; e era uma tarde magnífica, que deixava entrar pela janela o ar perfumado. Drogo olhava mudo para o céu, que se tornava cada vez mais azul, as sombras violetas do vale, as cristas ainda imersas no sol. O forte estava distante, não se avistavam mais sequer as suas montanhas.

Devia ser uma tarde de felicidade, mesmo para os homens de uma sorte mediana. Giovanni pensou na cidade ao crepúsculo, os doces anseios da nova estação, jovens casais nas alamedas ao longo do rio, os acordes de piano pelas janelas iluminadas, o apito de um trem ao longe. Imaginou os fogos do acampamento inimigo em meio à planície do norte, as lanternas do forte que balançavam ao vento, a noite insone e maravilhosa antes da batalha. Todos, de um modo ou de outro, tinham algum motivo, ainda que mínimo, para esperar, todos menos ele.

Embaixo, na sala, um homem, depois dois juntos puseram-se a cantar uma espécie de canção popular de amor. No alto do céu, lá onde o azul era profundo, brilharam três ou quatro estrelas. Drogo estava sozinho no quarto, o ordenança descera para tomar um trago, nos cantos e embaixo dos móveis acumulavam-se sombras suspeitas. Giovanni por um instante pareceu não resistir (ninguém afinal o via, ninguém saberia que estava vivo), o major Drogo por um instante sentiu que o duro fardo de seu íntimo estava para romper em pranto.

Foi aí então que dos fundos recessos saiu, límpido e tremulante, um novo pensamento: a morte.

Pareceu-lhe que a fuga do tempo havia parado, como se o encanto tivesse se rompido. O vórtice tornara-se cada vez mais intenso nos últimos tempos, em seguida, repentinamente, mais nada, o mundo pairava estagnado numa apatia horizontal e os relógios andavam inutilmente. A estrada de Drogo estava terminada; lá está ele agora sobre a solitária orla de um mar cinzento e uniforme, e ao redor nem uma casa, nem uma árvore, nem um homem, tudo assim, desde tempos imemoriais.

Dos extremos confins ele sentia avançar para cima de si uma sombra progressiva e concêntrica, seria talvez questão de horas, talvez de semanas ou de meses; mas até os meses e as semanas são pouca coisa quando nos separam da morte. A vida então virara uma espécie de brincadeira, por uma orgulhosa aposta tudo fora perdido.

Lá fora o céu se tornara de um azul intenso, a ocidente havia ainda uma réstia de luz sobre os perfis violeta das montanhas. E no quarto penetrava a escuridão, enxergava-se apenas o vulto ameaçador dos móveis, a brancura da cama, o brilhante sabre de Drogo. Dali — dava-se conta — ele não mais se moveria.

Envolto assim pelas trevas, enquanto lá embaixo prosseguiam as doces canções entre os arpejos de um violão, Giovanni Drogo sentiu então nascer dentro de si uma extrema esperança. Ele, sozinho no mundo e doente, enxotado do forte como peso importuno, ele, que ficara atrás de todos, ele, tímido e fraco, ousava imaginar que nem tudo estava acabado; pois quem sabe tinha realmente chegado a sua grande oportunidade, a definitiva batalha que podia resgatar a vida inteira.

Avançava de fato contra Giovanni Drogo o último inimigo. Não homens iguais a ele, atormentados como ele por desejos e dores, mas um ser onipotente e maligno; não precisava combater no alto das muralhas, entre estrondos e gritos exaltados, sob um céu azul de primavera, nada de amigos ao lado cuja visão reanima o coração, nada do acre cheiro de pólvora e tiros de fuzil nem promessas de glória. Tudo acontecerá no quarto de uma estalagem desconhecida, à luz de um candeeiro, na mais despojada solidão. Não haverá combate do qual voltar coroado de flores, numa manhã de sol, entre os sorrisos de jovens mulheres, não haverá ninguém para olhar, ninguém para elogiá-lo.

Ah, é uma batalha bem mais dura que aquela que ele outrora esperava! Até velhos homens de guerra prefeririam não experimentá-la. Porque pode ser belo morrer ao ar livre, no furor da refrega, com o próprio corpo jovem e são, entre triunfais ecos de clarim; mais triste é certamente morrer de ferimentos, após longas penas, num quarto de hospital; mais melancólico ainda finar na cama de casa, em meio a lamentos afetuosos, luzes mortiças e vidros de remédio. Mas nada é mais difícil do que morrer num lugar estranho e desconhecido, no leito comum de uma estalagem, velho e desfigurado, sem deixar ninguém no mundo.

"Coragem, Drogo, esta é a última cartada, vá ao encontro da morte como um soldado, e que a sua existência errada pelo menos termine bem. Vingado finalmente da sorte, ninguém cantará seus louvores, ninguém o chamará de herói ou de qualquer coisa semelhante, mas justamente por isso vale a pena. Ultrapasse com pés firmes o limite da sombra, aprumado como num desfile, e sorria, se conseguir. No fim, sua consciência não está demasiado pesada, e Deus saberá perdoar."

Isso Giovanni dizia a si mesmo — uma espécie de prece —, sentindo apertar à sua volta o círculo conclusivo da vida. E do amargo poço das coisas passadas, dos desejos rotos, das desfeitas sofridas, subia uma força que ele nunca teria ousado esperar. Com inexprimível alegria Giovanni Drogo percebeu, de repente, estar absolutamente tranquilo, ansioso quase por recomeçar a provação. Ah, não se podia querer tudo na vida? É assim então, Simeoni? Agora Drogo vai lhe mostrar.

Coragem, Drogo! E ele experimentou fazer força, manter-se firme, brincar com o pensamento terrível. Pôs nisso todo o seu ânimo, num ímpeto desesperado, como se, sozinho, partisse de assalto contra um exército inteiro. E, subitamente, os antigos terrores caíram por terra, os pesadelos afrouxaram-se, a morte perdeu seu vulto enregelante, transformando-se em coisa simples e de acordo com a natureza. O major Giovanni Drogo, consumido pela doença e pelos anos, pobre homem, forçou o imenso portal negro e deu-se conta de que os batentes caíam, abrindo espaço para a luz.

Parca pareceu-lhe então aquela trabalheira nos bastiões do forte, aquele perscrutar a desolada planície do norte, os seus sacrifícios pela carreira, os longos anos de espera. Não sentia necessidade nem mesmo de invejar Angustina. Sim, Angustina morrera no topo de uma montanha, no cerne da tempestade, conforme ele quis, realmente com muita elegância. Mas muito mais ambicioso era finar-se como um bravo nas condições de Drogo, carcomido pelo mal, exilado entre gente desconhecida.

Só lhe desagradava precisar partir dali com aquele mísero corpo, os ossos salientes, a pele esbranquiçada e flácida. "Angustina morreu intacto", pensava Giovanni, "sua imagem, apesar dos anos, se mantivera a de um jovem alto e delicado, de rosto nobre e agradável às mulheres: esse, o seu privilégio."

Mas quem sabe se, ultrapassando o negro umbral, também ele, Drogo, não poderia voltar a ser como antes, não bonito (pois bonito nunca fora), mas viçoso de juventude. "Que alegria!", dizia a si mesmo ao pensar nisso, como uma criança, uma vez que se sentia estranhamente livre e feliz.

Mas depois veio-lhe à mente: e se tudo fosse um engano? E se sua coragem não passasse de embriaguez? Se isso se devesse apenas ao maravilhoso crepúsculo, ao ar perfumado, à pausa das dores físicas, às canções ao piano lá embaixo? E se dentro de alguns minutos, dentro de uma hora, ele precisasse voltar a ser o Drogo de antes, fraco e vencido?

Não, nem pense nisso, Drogo, agora chega de atormentar-se, o que importa já está feito. Mesmo se o assaltarem as dores, mesmo se não houver mais as músicas para consolá-lo e, ao contrário dessa belíssima noite, vierem névoas fétidas, tudo será o mesmo. O que importa já foi feito, não podem mais enganá-lo.

O quarto está repleto de escuridão, somente com muito custo pode-se enxergar a brancura da cama, todo o resto é negro. Daqui a pouco deverá surgir a lua.

Terá tempo, Drogo, de vê-la, ou terá que partir antes? A porta do quarto palpita com um leve estalo. Quem sabe é um sopro de vento, um simples redemoinho de ar dessas inquietas noites de primavera. Quem sabe, ao contrário, tenha sido ela a entrar, com passo silencioso, e agora esteja se aproximando da poltrona de Drogo. Fazendo força, Giovanni endireita um pouco o peito, ajeita com a mão o colete do uniforme, olha ainda pela janela, um brevíssimo olhar para sua última porção de estrelas. Em seguida, no escuro, embora ninguém o veja, sorri.

Conheça os títulos da Coleção Clássicos de Ouro

132 crônicas: cascos & carícias e outros escritos — Hilda Hilst
24 horas da vida de uma mulher e outras novelas — Stefan Zweig
A câmara clara: nota sobre a fotografia — Roland Barthes
A conquista da felicidade — Bertrand Russell
A força da idade — Simone de Beauvoir
A guerra dos mundos — H.G. Wells
A ingênua libertina — Colette
A mãe — Máximo Gorki
A mulher desiludida — Simone de Beauvoir
A náusea — Jean-Paul Sartre
A obra em negro — Marguerite Yourcenar
A riqueza das nações — Adam Smith
As belas imagens (e-book) — Simone de Beauvoir
As palavras — Jean-Paul Sartre
Como vejo o mundo — Albert Einstein
Contos — Anton Tchekhov
Contos de terror, de mistério e de morte — Edgar Allan Poe
Crepúsculo dos ídolos — Friedrich Nietzsche
Dez dias que abalaram o mundo — John Reed
Física em 12 lições — Richard P. Feynman
Grandes homens do meu tempo — Winston S. Churchill
História do pensamento ocidental — Bertrand Russell
Memórias de Adriano — Marguerite Yourcenar
Memórias de um negro americano — Booker T. Washington
Memórias de uma moça bem-comportada — Simone de Beauvoir
Memórias, sonhos, reflexões — Carl Gustav Jung
Meus últimos anos: os escritos da maturidade de um dos maiores gênios de todos os tempos — Albert Einstein
Moby Dick — Herman Melville
O banqueiro anarquista e outros contos escolhidos — Fernando Pessoa
O deserto dos tártaros — Dino Buzzati
O eterno marido — Fiódor Dostoiévski
O Exército de Cavalaria (e-book) — Isaac Bábel

O fantasma de Canterville e outros contos — Oscar Wilde
O filho do homem — François Mauriac
O imoralista — André Gide
O príncipe — Nicolau Maquiavel
O que é arte? — Leon Tolstói
O tambor — Günter Grass
Orgulho e preconceito — Jane Austen
Orlando — Virginia Woolf
Os mandarins — Simone de Beauvoir
Retrato do artista quando jovem — James Joyce
Um homem bom é difícil de encontrar e outras histórias — Flannery O'Connor
Uma morte muito suave (e-book) — Simone de Beauvoir

DIREÇÃO EDITORIAL
Daniele Cajueiro

EDITORA RESPONSÁVEL
Ana Carla Sousa

PRODUÇÃO EDITORIAL
Adriana Torres
Mariana Bard
Mariana Teixeira
Nina Soares

REVISÃO
Luisa Suassuna

CAPA
Victor Burton

DIAGRAMAÇÃO
Filigrana

Este livro foi impresso em 2025, pela Vozes, para a Nova Fronteira.
O papel de miolo é Ivory 65g/m² e o da capa é Cartão 250g/m².